疫病・災害と超古代史

神話や古史古伝における災禍との闘いから学ぶ

原田　実

HARADA Minoru

文芸社文庫

まえがき

令和3年（2021年）は阪神淡路大震災とオウム真理教による地下鉄サリン事件から26年、ニューヨークとアフガニスタン北部での同時多発テロ（世界貿易センターへのハイジャック機突入と反タリバン勢力の指導者アフマド・シャー・マスード暗殺）から20年、東日本大震災からちょうど10年に当たる。さらにその前年である2020年、新型コロナウイルスによる感染症（COVID-19）が世界的規模で流行したのは周知の通りである。

それらの災厄において、マスメディアやWebメディアが、現実と類似の内容を持つ過去のフィクションを発掘したり、現実に便乗する形で類似の状況を描いたフィクションが発表されたりしたことも記憶にとどめられるべきだろう。

新型コロナウイルス禍にあって、ダニエル・デフォー（1660〜1731）によるルポルタージュ『ペストの記憶』（1722）、アルベール・カミュ（1913〜1960）の小説『ペスト』（1947）、小松左京（1931〜2011）の滅亡SF『復活の日』（1964）、SFパニック映画『アンドロメダ…』（1971）の原作として有名なマイケル・クライトン（1942〜2008）の『アンドロメダ病原体』（1969）と、その続編としてダニエル・H・ウィルソンが著した『アンドロメダ病原体―変異―』（2

019）などが話題になったのは記憶に新しい。
私も、日本政府の緊急事態宣言が出されていた4月から5月にかけての頃、メアリー・シェリー（1797～1851）による、疫病を原因とする人類滅亡をおそらくは最初に描いた小説『最後のひとり』（1826年、邦訳2007年）を本棚から取り出して読みふけったものだ。圧倒的な危機に際して人は、その苦難を受け入れ、乗り越えていくためにあえてその危機によく似た物語を求めようとするもののようである。

人類の歴史を紐解くならば、そこには天災、人災含め、さまざまな大災厄の記録が残されている。その中には、史実性は疑わしい神話や伝説に属するものも含まれている。

大西洋に没した謎の大陸アトランティス、神の怒りに触れて火と硫黄の雨に打たれて消えた二つの都市ソドムとゴモラ……ギリシア神話や聖書など西洋文明の基礎となった古典には古代世界を襲ったさまざまな災厄が記されている。

一方、日本においても、「古史古伝」「超古代史」などと呼ばれ、記紀で神々の世とされる神代を具体的な歴史として綴った史書には、古代の日本列島およびその周辺の国々がさまざまな災厄に見舞われたことが記されている。「古史古伝」は実証的にはいずれも偽書の謗りを免れないものだが、近代以降の成立のものについてはギリシア神話や聖書などの影響が認められるものもある。

神話にしろ、偽書にしろ、その内容をそのまま史実として認めることはできない。しかし、それらに災厄のイメージが刻印されているということは、その成立当時、災厄の物語を求めていた人々がいたということである。

災厄の物語がなぜ求められたのか。それらの物語と現実世界での災厄とはいかなる関係にあったのか。この機会に、改めて問いかけていきたいと思う。

目次

第1章　災害と疫病で読み解く聖書・ギリシア神話

旧約聖書やギリシア神話では災害や疫病にどう立ち向かったか

『ティマイオス』と『クリティアス』

現代における超古代文明のイメージの原型を提供した古典として第一に挙げられるべきもの、それは古代ギリシアの哲学者プラトン（紀元前424～前347）が書き残したアトランティス島に関する物語である。その影響は欧米の文献ばかりでなく日本の古史古伝の一部にも見出すことができる。

プラトンの著書はプラトンの同時代の実在人物の会話という形（対話篇）で成り立っている。現代でいえば、その形式はさしずめ実名小説というところである。

プラトンの著書『ティマイオス』には、プラトンが師と仰いだ哲学者ソクラテス（紀元前469?～前339）と博識のティマイオス、ソロンの遠縁（とおえん）の親戚というクリティアス、高名な政治家だったヘルモクラテスが登場する。『ティマイオス』執筆時点のプラトンは、哲人ソクラテスを囲むこの3人をそれぞれ主な語り手とすることで三部作を書くという構想を持っていたらしい。

ジブラルタル海峡。左手前がヨーロッパ大陸、右奥がアフリカ大陸（2005年撮影）

さて、『ティマイオス』の冒頭近くで、クリティアスが次のように語り出す。

ギリシアの都市アテナイは９０００年前から明確な法律によって統治され、学術に関する高度な知識を蓄えた偉大な国であった。

その頃、「ヘラクレスの柱」（ジブラルタル海峡両岸）の外の海にはリビア（現アフリカ大陸北部）やアジア（この場合はトルコ半島以東の地）よりも広大な島があった。その島がある外海こそ真の大洋であり、さらにその彼方（かなた）には真に大陸というにふさわしい大地があった。

アトランティスの王侯は多くの島々や大陸を支配し、リビアはアフリカまで、ヨーロッパはチュレニア（イタリア半島）まで征服していた。アトランティス軍が海峡の内側（地中海）の全域を隷属させようとした時、アテナイはギリシアのすべての都市の先頭に立って戦い、ついにアトランティスの征服地のすべてを解放した。
ところがその直後、地震と洪水が幾度も生じ、その最大のものが起きた一昼夜で、アテナイの戦士たちは大地に呑み込まれ、アトランティス島は海底に没した。以来、かつてアトランティス島があった場所の海は泥土（でいど）に覆われ、船での行き来はできなくなってしまった……。

『ティマイオス』ではこの後、ティマイオスが天文学や数学、医学について縦横に語り始め、最後までアトランティス島の話題に触れられることはない。

アトランティス島に関する詳細が語られるのは『ティマイオス』に続く『クリティアス』である。ティマイオスと、プラトンの師であるソクラテスから、アトランティス島に関する詳細な話をするよう乞われたクリティアスは、記憶の女神ムネモシュネに祈りながら、子供の頃に聞いたという９０００年前（現在から見れば1万２０００年以上前）の歴史を語り始める。

その当時、ギリシアの国土には今のような荒地はなく、肥沃（ひよく）な平野が広がっていた。その地に住む人の徳の高さはヨーロッパとアジアに知れ渡っていた。

さて、海の神ポセイドンは外洋の島を切り開き、中央の丘を二重の陸地の輪と三重の海の輪で守る形に整えた上で、十の区画に分け、そこに自分の10人の子供たちを住

ギリシア・ミロス島から出土したポセイドン像（アテネ国立考古学博物館蔵）

まわせた。その10人はそれぞれの区画の王となり、最年長の子アトラスは島全体の王にも任じられた。その国こそ後のギリシアへの敵対者、アトランティスである。

アトランティスでは王位は王からその長子に譲られることで代々世襲された。その山はさまざまな鉱産資源や建築資材としての樹木、多くの家畜やゾウなどの野生動物を産した。

また、その農地もさまざまな香料や穀物、果実を産した。アトランティス人はそれら豊かな物産を管理し、その国土に神殿、宮殿、港などを計画的に配置していった。二重の陸地の輪と三重の海の輪はそれぞれ橋と運河で結ばれた。その陸地は石の壁で囲まれていた。

その国土では多くの兵力が蓄えられ、戦車や歩兵、軍船の水夫などはいつでも集められるよう軍備が整えられていた。王たちは神殿で雄牛をいけにえに捧げる儀式を行っていた。

アトランティスの王と民はポセイドンから受け継いだ神性により、思慮深く、掟をよく守り、徳と友愛を重んじていた。だが、時が経つにつれその神性は薄れ、貪欲で傲慢で恥ずべき人々へと変わっていった。神々の神たるゼウスは宇宙の調和のために彼らを懲らしめなければならないと考え、宇宙の中心にすべての神を集めて、こう言った……。

『クリティアス』はここで唐突に終わっている（『クリティアス』にはアトランティスの地理や王の系譜、制度などに関するさらに詳細な記述もあるが、割愛した）。

さて、『ティマイオス』によると、クリティアスはその祖父から、その祖父はソロンから、かつてのギリシアとアトランティスの話を聞いたという。

さらにそのソロンはエジプトを旅していた時にその話を知ったとされる。すなわち、エジプトの神官が、ギリシア人は自分たち自身の偉大な業績も忘れ去っていると言って詳しい歴史を教えてくれたというのである。

アトランティスとオカルティズムの系譜

『クリティアス』で、いかに詳細にアトランティスの歴史と栄華が語られようと、『ティマイオス』において、ギリシアの方により古く、正義を重んじる文明があったと語られている以上、アトランティスは古代ギリシアの偉大さを語るための引き立て役にすぎない。

　ところがプラトンの時代から２３００年以上も後、19世紀後半になってからアトランティスをエジプトやギリシアを含めた世界のあらゆる文明の根源と見なす説が勃興した。

　その先鞭（せんべん）をつけたのはフランス人神父シャルル・エティエンヌ・ブラシュール・ド・ブールブールで、彼は１８６４年に中米マヤ文明の古写本のフランス語訳を発表した。その中に「ムー（Mu）」という王国が大海に没した記述があったとして、その「ムー」をアトランティスの別名と見なし、両米大陸とエジプトの古代文明の共通の起源をアトランティスに求めた。

　また、フランスの冒険家オーギュスト・ル・ブルンジュオンもやはりマヤ文明の古写本の解読によって「Moo（ムー）」という名の女王がユカタン半島からアトランティス経由でエジプトに入って植民地を作り、ユーラシアに文明をもたらしたという説を１８８１年に発表した（現在ではド・ブールブールもル・ブルンジュオンも解読を誤っていたことが判明している）。

　この新たなアトランティス伝説（？）はやがてヨーロッパからアメリカ合衆国に入り、大樹へと育っていった。その画期を成した人物の名はイグナシアス・L・ドネリー（イグナティウス・ロヨーラ・ダンリー、1831〜1901）という。ドネリーはミネソタ州副知事やミネソタ州選出下院議員を務め、アメリカ民主党の前身の一つである人民党の綱領を書いた政治家だったが、1882年に著した『アトランティス――大洪水前の世界』で文筆家としてのキャリアを歩み始めた。

ドネリーはアトランティスを島ではなく現在の大西洋の中央に広がっていた大陸と見なした。さらには、その地こそ人類が生んだすべての文明の起源にして人類の理想郷であり、旧約聖書にいう「エデンの園」や北欧神話の神の国アスガルドなどもアトランティスのことだったとした。

ドネリーのこの著書は1890年までに23版を重ねるベストセラーとなった。ここに、人類のあらゆる文明の起源を失われたアトランティスに求める近代アトランティス学の礎は築かれたのである。

近代アトランティス学がアメリカで発祥した原因の一つは『ティマイオス』の地理的描写にあった。ドネリーとそのアメリカでの支持者たちは、『ティマイオス』で地中海から見てアトランティスの彼方にあるとされた真の大陸を両米大陸と見なし、自分たちは新大陸の開拓者であるとともにアトランティスの伝統の直接の継承者でもあると自負したのである。

1912年、ニューヨークで発行されていた新聞にパウロ・S・シュリーマンなる人物が書いた記事が連載された。パウロは、伝説の古代都市トロイ（現トルコ共和国チャナッカレ近郊）の発見やミケーネ（現ギリシャ共和国アルゴリス県）の発掘で知られるハインリヒ・シュリーマン（１８２２～１８９０）の孫を名乗り、祖父の遺品からアトランティスの実在を証拠づける銘文がある工芸品を見つけたと主張した。

さらにパウロ・S・シュリーマンは祖父が残した研究に基づき、チベットのラサの古記録に「ムー」、すなわちアトランティスの沈没に関する描写を発見したという。もっとも、彼の記事はフランス人神父シャルル・エティエンヌ・ブラシュール・ド・ブールブールの誤ったマヤ文書解読を下敷きにしているばかりか、彼の祖父のはずのハインリヒ・シュリーマンの業績に関する間違った記述もあり、今ではその内容はでっちあげだったと見なされている。

近代アトランティス学は19世紀後半に勃興した心霊学の一派である神智学に取り入れられ、オカルティズムとの関係を深めていった。オカルティズムとしての近代アトランティス学はヨーロッパで忌まわしい亜種を生んだ。

アドルフ・ヒトラー（１８８９～１９４５）の側近だったアルフレート・ローゼンベルク（１８９３～１９４６）は１９３０年に『二十世紀の神話』を著し、ゲルマン民族の原郷をアトランティス大陸に求めた。ローゼンベルクが語る、白鳥の牽（ひ）く船でアトランティスからヨーロッパに向かう原ゲルマン民族というイメージは幻想的だが、その主張はナチスのゲルマン民族至上主義の根拠として利用され、世界に戦乱の種をもたらすことになる。

ヒトラーはローゼンベルクにさまざまな役職を与えたが、実務能力がない彼はそれをこなすことができなかった。結局、ローゼンベルクの歴史的位置はナチス党草創期における理論的指導者の一人にとどまった。

ほぼ同じ頃、ナチスドイツと敵対していたアメリカでも、アトランティスとオカルティズムを結びつける理論が新たな展開を迎えた。

催眠状態で未来の記憶をリーディングしたと称し「眠れる予言者」と呼ばれたアメリカの民間療法士エドガー・ケイシー（1877〜1945）は、遥かな過去のアトランティスについてもリーディングを残している。

エドガー・ケイシー

ケイシーのリーディングによると、大陸だったアトランティスは紀元前1万5600年頃に2度にわたる大災害で小さく分割され、紀元前1万年頃に3度目の大災害で残った島々は一夜にして沈没したという。また、ケイシーは、アトランティスではガラス状の石で太陽エネルギーを操作する技術を持っていたともしていた。

ジョージ・パル（１９０８〜１９８０）監督の映画『謎の大陸アトランティス』（１９６１年）はこのケイシー・リーディングを取り入れたのか、巨大な水晶を用いた殺人光線兵器の暴走でアトランティス文明が自滅していく様を描いていた。

なお、エドガー・ケイシーは高等教育を受けたことはなかったが、若い頃は熱心な読書家であり、ケイシー・リーディングの実体は乱読によって記憶に残っていた民間療法などの雑学と、その雑学に基づいてケイシーが文字通り夢うつつの中で作り上げた物語であったと思われる。

プラトンは日米戦争とアメリカの滅亡に関して予言した？

パウロ・Ｓ・シュリーマン名義のフェイクニュースからは新たな伝説が派生することになった。アメリカ在住の自称退役英国陸軍大佐ジェームズ・チャーチワード（１８５１〜１９３６）はチベット（もしくはインド）の寺院で「ムー」という海に没した大陸に関する記録を発見したと主張し、１９３１年に『失われた大陸ムー』を著した。チャーチワードの議論の特徴は、「ムー」の所在を太平洋に求めたことである。

チャーチワードの登場により、それまでは、かつて大西洋にあったアトランティスの別名とされていた「ムー」は、かつて太平洋にあった大陸の名として流布することになる（ちなみにチャーチワードは太平洋のムーとは別に大西洋のアトランティスも実在したとする）。

現在ではチャーチワードの「ムー」発見譚は、英国陸軍所属という経歴も含めて、すべて捏造であったことが判明している。だが、ムー大陸の「伝説」はロマンの対象としてすでに定着しており、日本では周知の通り、オカルト雑誌の老舗の名にもなっている。

ところで日本ではチャーチワードに先立ち、アトランティスそのものの所在を太平洋に求めた人物がいる。しかも、その人物は日本にプラトンのアトランティス物語をまとまった形で初めて紹介した人物でもあったのだ。

哲学者・木村鷹太郎（1870～1930）は1903年から1911年にかけて英語からの重訳ではあるが、日本初のプラトン全集完訳を行った人物である。その全集には当然『ティマイオス』『クリティアス』も含まれていた。

それは木村鷹太郎訳『プラトーン全集』初版第2巻に、1924年の全11巻揃訂正版『プラトーン全集』では第4巻に、『チマイオス（宇宙及び人間創造史）』『クリチアス（アトランチス島物語）』の表題で収められている。

さて、木村鷹太郎はプラトン全集完訳の過程で、ギリシア語・ギリシア神話と日本語・日本神話の類似に気づき、そこから日本史と世界史の関係を解き明かそうとする壮大な新史学の世界に入っていく（木村の新史学については拙著『天皇即位と超古代史』文芸社文庫参照）。

木村鷹太郎は著書『希臘羅馬神話』（１９２２年）において新史学に基づくアトランティス物語の解読を試みた。木村によると、日本民族とギリシア民族は同祖で、その共通の起源はインドにあった。プラトンのアトランティス物語に登場する太古のアテナイは現在のギリシアの首都アテネではなくインドにあった国で、アテナイを建国したとされる女神アテナイは日本神話のアマテラスでもあった。

したがって、「ヘラクレスの柱」はジブラルタル海峡ではなくマレー半島の南端にあるシンガポール海峡で、アトランティスとは太平洋のジャワ島とスマトラ島に当たる。アトランティスを滅ぼした大災害とはジャワ島の火山活動のことだというのである。

また、木村鷹太郎は、ギリシアとアトランティスの戦争は、単純な太古の記録ではなく近未来の予言でもあるとする。

〈現在の世界を見ると、丁度アトランチス帝国のやうに正義を尊重した時代が有つたが、又た堕落して横暴になつた国が太平洋の彼方にある。又た日本は天照アテイナ（ママ）女神の建国し玉うた国で、これ亦希臘の趣がある。プラトーンの

「アトランチス物語」は或は我々の国家とアトランチスの末路に似た国とに関した、何かの預言では無からうかとも思はれる〉（『希臘羅馬神話』）

この大意は、当時（大正期）の世界には、プラトンの記したアトランティスのように、かつては正義を重んじたが今は横暴になった大国がある（アメリカを想定）。一方でプラトンの記した太古ギリシアの盟主アテナイと同様、女神を崇める国がある（日本を想定）。プラトンはこの状況を予言していたのではないか、というものである。

つまり、木村鷹太郎の解釈では、プラトンは物語の形で、未来における日米戦争とアメリカの滅亡に関する予言を残していたというわけである。

なお、日本では木村以降もアトランティスをインドネシア方面に求める論者が出ており、たとえば建築家の渡辺豊和氏によるアトランティス＝スラウェシ島説などがある（渡辺豊和『発光するアトランティス』１９９１年、同『失われたアトランティスの魔術』２０１２年）。

アトランティスはジブラルタル海峡の近くにあったと考えたプラトン

さて、プラトンのアトランティス物語にはイグナシアス・L・ドネリーの近代アトランティス学が示すような理想郷も、エドガー・ケイシーが（文字通り）夢に見たような超エネルギーによる文明も語られていない。そこにあるのは（ある一点を除いて）青銅器時代から鉄器時代初期の水準の技術に支えられた国家である。

作家の黒岩重吾（じゅうご）（1924～2003）は次のように評している。

〈（アトランティス大陸について）幾ら大文明を持った国、といっても、軍隊の内容を見ると、投石兵、投槍兵、などが記述されているところを見ると、プラトン時代の軍隊よりも進歩していない。もしアトランティス王国の軍隊の中に、電気とまではゆかなくても良いが、少なくとも火薬を使用している武器の叙述があったなら、私は一万年前に、大文明を持った大陸と、一大王国が存在していたことを信じるだろう。だが残念ながら、アトランティス王国に述べられている神殿、王宮、軍隊、都市状態はプラトンが生きていた時代の知識を上廻ってはいない〉

（黒岩重吾「アトランティス大陸の夢と現実」『別冊いんなあとりっぷ　世界の九不思議』1975年7月、所収）

このアトランティス物語の語る文明が古代ギリシアとそれほど異質ではないという事実から、アトランティスが実在の島だったとしても、ソロンの時代から9000年も前ではないという解釈も生じた。つまり9000年というのは、一桁違いの900年の誤りだとするわけである。この仮説によればアトランティス沈没として語られる事件の実年代はソロンがいた紀元前6世紀頃より900年前、つまり前15世紀頃ということになる。

1960年代にはギリシアの地震学者アンゲロス・ガラノプロスによるアトランティス＝ミノア仮説が世界的な話題となった。ガラノプロスは、アトランティス王国とは紀元前2000年頃から前15世紀頃にかけて地中海のクレタ島を中心に栄えたミノア文明のことであり、アトランティス沈没とはクレタ島の北にあるサントリーニ島（ティラ島）を巨大なカルデアに変えてミノア文明崩壊の引き金を引いた巨大噴火のことだったと説いた。

ギリシア・サントリーニ島（2011年撮影）

さらにガラノプロスはギリシア神話に出てくる大異変や旧約聖書の『出エジプト記』に出てくるさまざまな災害も、サントリーニ島噴火に出会った民族がそれぞれの視点で伝えたものだと主張した。

　日本でも1970年代初めにはアトランティス＝ミノア仮説が紹介されており、先に引用した黒岩重吾のエッセイでもアトランティス物語はプラトンの創作としながら、そのモデルとしてミノア文明を想定している。

　また、地球物理学者で当時は東京大学教授だった竹内均（ひとし）（1920〜2004）の『アトランティスの発見』（1978年）や科学ジャーナリスト・金子史朗氏の『アトランティス――失われた楽園伝説』（1982年）など、ガラノプロス説の祖述という形でアトランティス＝ミノア仮説に基づいた書籍も話題になった。

　さて、プラトンの記述による限り、アトランティスはギリシア本土から見て「ヘラクレスの柱」より外になければならない。

　先に木村鷹太郎が「ヘラクレスの柱」をマレー半島に当てたのを見たが、ガラノプロス説では「ヘラクレスの柱」は現ギリシア共和国ラコニア県の南端、マタパン岬とマレア岬に当てられている。

　また、ドイツ在住の地理考古学者エーベルハルト・ツァンガー氏は「ヘラクレスの柱」を、黒海と地中海を結ぶダーダネルス海峡・ボスポラス海峡に当てることで、アトランティスをアナトリアに求めている。ツァンガー氏によると、ギリシア神話で、ギリシア都市国家連合と小アジア（アナトリア）のトロイとの戦闘とされるトロイア戦争と、アトランティス物語におけるギリシアとアトランティスとの戦争は、同じ事件の別伝だという（エバーハート・ツァンガー著・服部研二訳『天からの洪水――アトランティス伝説の解読』邦訳1997年、エーベルハルト・ツァンガー著・和泉雅人訳『甦るトロイア戦争』邦訳1997年）。

しかし、プラトンの時代には「ヘラクレスの柱」といえばジブラルタル海峡を指すのはすでに常識だった。アンゲロス・ガラノプロスやエーベルハルト・ツァンガー氏の議論は成り立ちにくい。

さて、プラトンはアトランティス島に関する物語の最初の記録者だが、それとよく似た「アトランテス」という言葉がプラトン以前の文献に用いられている。それは小アジア出身とされる前5世紀頃の歴史家ヘロドトスの著書『歴史』巻4である。

ヘロドトスの時代、ギリシアの都市国家はしばしば連合を結び、東方の大国ペルシア帝国からの侵略と戦っていた。いわゆるペルシア戦争だが、ヘロドトスはギリシアとペルシア、およびペルシアに征服された諸国家の歴史と地理について詳しく記すことで、その戦争が起きるまで、そして戦争が起きてからギリシアが勝利するまでの経緯を明らかにしようとした。その成果として遺された書物こそ『歴史』である。その巻4ではペルシアが東西に勢力を伸ばし、中央アジアの遊牧国家スキタイと、エジプトより西のリビア（アフリカ大陸北部）とを征服していったことが記されている。

ヘロドトスによると、リビアの西方に住むアトランテス人は個人としての名を持たず、太陽を憎悪している。そのアトランテス人の住むところのさらに西方にアトラスという高山があり、地元の人々は天の柱と呼んでいる。アトランテス人の名はその山に由来するものだという。アトランテス人は生あるもの（動物）を一切食べず、夢を見ることがない。

本来のギリシア神話ではアトラスはゼウスが最高神となる前の古い神ティーターン（巨人、タイタン）の一柱であり、ティーターンがゼウスらとの戦いに敗れてからは世界の西の果てで天空を背負う役目を与えられたとされる。ヘラクレスが楽園の黄金のリンゴを求めて世界の西の果てにやってきた時、アトラスはヘラクレスと天を担う役目を交替してリンゴを取りに行き、帰ってからヘラクレスに手渡したとも、人間を石に変える怪物メドゥーサを倒した英雄ペルセウスが世界の西の果てを通りかかった時にメドゥーサの首を見て天を支える山と化したとも伝えられている。

ヘロドトスがアトランテス人との関連で語るアトラス山は、神話で世界の西の果てで巨人アトラスが変じたとされる山と同一と見なしてよいだろう。現在のモロッコ・アルジェリア・チュニジアにまたがるアトラス山脈がその遺存地名である。そして、アトラス山脈の最寄りの海域にはジブラルタル海峡が含まれる。

プラトンのアトランティス物語において、アトランティス島の初代の王の名がアトラスとされていたのも、アトラス山からの連想だろう。つまり、プラトンは、アトランティスをジブラルタル海峡から、そう遠くない海域にあったと考えていた（あるいは設定した）と思われるのである。

オレイカルコス（オリハルコン）の正体は黄銅

さて、プラトンによるアトランティス物語において唯一、既知の古代文明で相当するものが見当たらない要素、それは「オレイカルコス」という名の金属である。『クリティアス』では、その金属がアトランティスで採掘されること、アトランティス島の三重の壁で王宮のある丘（アクロポリス）を守るもっとも内側の壁がその金属で覆われていたこと、王宮の内側はその金属で飾られていたこと、アトランティスの王たちの法がその金属でできた柱に刻まれていたことが記されている。

以下、『クリティアス』の邦訳からその箇所を抜粋してみよう。

〈今は単に名のみなるも、昔は名のみならざりし「オリハルコン」なる金属も島中諸所に採掘され、当時に在つては、ただ黄金を除くの外、何物よりも貴重のものなりき〉

〈第三なる、城砦を蔽へるは「オリハルコン」の赤光に輝けり〉

〈神殿の内部は、屋根は象牙を以って之れを作り、巧みに金、銀、「オリハルコン」を以つて鏤め、其他壁も、柱も、床も、凡て「オリハルコン」を以つて之れを包被し〉

〈諸王の順次及び相互間の関係はポセイドーンの神命に由つて制定され、以つて其法を紹伝せり。是等の法律は第一王之れをポセイドーンの神殿にて、全島の中央に位する「オリハルコン」の柱に記銘せり〉（木村鷹太郎訳『プラトーン全集』）

〈今は名付けられているだけのものがあった――が、それは当時は名以上のもので、島の多くの地方で土から掘り出されたオレイカルコスの属であった。それは当時においては金を除いては最も貴重なものであった――〉

〈アクロポリスそのもののまわりは火のような輝きを持っているオレイカルコスでかぶせた〉

〈内側は、見たところ、金や銀やオレイカルコスで彩色された象牙の天井ですすべてを包み、その他壁も柱も床もすべてオレイカルコスで包んだ〉

〈互いの間の支配と交際はポセイドンの命令の下にあった。そのように、法律とそれから最初の王たちによってオレイカルコスの柱に書かれた書きものとがその

命令をかれらに与えた〉（副島民雄訳、角川書店『プラトン全集』第6巻、１９７４年）
〈いまはただ名のみとなっているが、当時は実際に採掘されていたオレイカルコスの類いは、その頃金につぐひじょうに貴重な金属であって、島内のいたるところに分布していた〉
〈アクロポリスをじかに囲む石塀には炎のようにさんぜんと輝くオレイカルコスをかぶせたのである〉
〈内側の天井には一面に象牙をかぶせ、金や銀やオレイカルコスの飾りつけをして変化をもたせるとともに、その他、壁や柱や床にはびっしりとオレイカルコスを敷きつめていた〉
〈かれら相互の支配関係や交わりについてはポセイドンの「戒め」にしたがっていたのであって、これは一つの掟としてかれらに伝えられた。そしてそれは初代の王たちの手でオレイカルコスの柱に刻まれたのであるが、この柱は島の中央のポセイドンの社に安置された〉（田之頭安彦訳、岩波書店『プラトン全集』第12巻、１９７５年）
〈今はただ名前でしか知られていないが、当時は名前だけではなく、実際に採掘

されていたオレイカルコスの類は、その頃、金は例外として、もっとも貴重な金属で、島内のいたるところに分布していた〉

〈アクロポリスをじかに囲む壁は炎のように輝くオレイカルコスで覆った〉

〈内側は、天井全面を金や銀やオレイカルコスの飾り付けられた象牙にし、その他、壁や柱や床はオレイカルコスで覆った〉

〈彼ら相互の支配関係については、ポセイドンの戒めに従っていたのであり、これは掟として、初代の王たちの手でオレイカルコスの柱に刻まれて、彼らに伝えられた。その柱は、島の中央のポセイドンの社に安置されていた〉（岸見一郎訳、『ティマイオス／リティアス』白澤社、2015年）

このうち、木村鷹太郎のみがオレイカルコスではなく「オリハルコン」と表記しているのはギリシア語テキストからの翻訳ではなく、英訳テキストからの重訳を行ったためである。日本ではアトランティス関連の話題は主にアメリカ経由でもたらされてきたため、日本でもオリハルコンという呼称の方が定着している。

2015年1月、イタリア・シチリア島の沖合で古代の沈没船からオレイカルコスと思われる金属の塊が発見されたというニュースが流れたことがある。この時見つかった物質の実体は金・銀・銅の合金だったらしい。

実は『クリティアス』以外のギリシア古典では「オレイカルコス」といえば銅と亜鉛の合金、すなわち黄銅（真鍮）を意味している。なぜ、『クリティアス』において、その解釈が適用できないかというと、プラトンが、今は名のみ伝わると記すことで彼の時代にさかんに使われていた黄銅と同じものであることを否定しているからである。

ドイツ・ヘルゴラント島（2005年撮影）

オレイカルコスの正体については琥珀説もある。これはドイツ人ユルゲン・シュパヌートなる人物が唱えたもので、オレイカルコスが山で採掘できるという以上、人工的な合金ではありえないし、琥珀は熱で溶かして油を加えれば塗布材となるので、宮殿の壁や柱に塗るのにも向いているというのである。

ユルゲン・シュパヌートはアトランティスの所在をドイツ北部沖合のヘルゴラント島からユトランド半島、フィンランド南部を含む北海方面に求めたため、古代北欧の装飾品に多用された琥珀に注目することになったわけである（ユルゲン・シュパヌート『北海のアトランチス』邦訳１９６９年）。

しかし、王たちの掟を後世に伝えるための柱に、琥珀のような脆い素材が使われたと考えるのは無理があるだろう。

また、プラトンがオレイカルコスを幻の金属扱いしたために後世、この金属をめぐる幻想が肥大するようになった。

現代日本でも、光瀬龍（１９２８～１９９９）の小説『百億の昼と千億の夜』（初出『ＳＦマガジン』１９６５～１９６６年連載）での超時空物質としてのオリハルコンや、アニメ『海のトリトン』（１９７２年）に出てきた高熱を発するオリハルコンの短剣や、車田正美作『リングにかけろ』（初出『少年ジャンプ』連載、１９７７～１９８８）でのオリハルコン製メリケンサック「カイザーナックル」などをはじめとして、数多くの小説・マンガ・アニメ・ゲームなどにオリハルコン（オレイカルコス）が登場している。

しかし、プラトンの語るオレイカルコスはあくまで黄金に次ぐ貴金属にすぎない。銅鉱石は亜鉛も大量に含んでいることが多く、古代の黄銅は人為的に合金として作ったものではなく、亜鉛分の多い銅鉱石を精錬することで自然に得られていた可能性がある。

したがってプラトンの時代のギリシア人が黄銅を合金と認識していなかったとしてもおかしくはないだろう。なぜ、プラトンが彼の時代にも使われていた金属を、あたかも幻の金属であるかのように語ったのかは謎だが、オレイカルコスの実体としては黄銅で間違いないと思われる。

アトランティス物語はペルシア戦争のイメージを過去に投影したか

さて、プラトンの対話篇に登場するのはプラトンと同時代の実在の人物たちだが、その会話の内容はプラトン自身の哲学を明確にするためのものであり、実際の会話をそのまま記録したものではない。また、その中には、はるか太古の神話に題材をとりながらプラトンが創作したと思われる寓話も含まれている。

そもそもクリティアスが語るアトランティス物語にしても、エジプトの神官が伝えてきたものをソロンが聞き、さらにそれをクリティアスの祖父が聞き……と何段階もの伝聞を経た上、クリティアス自身は子供の頃に聞いた話をなんとか思い出しているという具合で、内容が当てにならないことを念押しするような来歴となっている。

それが記録されてから約２４００年にもわたって多くの人々に信じられてきたのはプラトンという人物の権威と、内容の詳細さによってなのだが、考えてみれば来歴があやふやで内容が詳細ということはそれだけ創作の可能性が高いことを示すものといえよう。

『ティマイオス』でのアトランティスに関する言及は、次の二つの事柄が前提に置かれている。

1、クリティアスの時代（ひいてはプラトンの時代）のギリシアが、かつて大国だったとは思えないような狭くて荒廃した土地だということ

2、ヘラクレスの柱（ジブラルタル海峡）の外側に航海困難な海域があること

　プラトンがアトランティス沈没という一大天変地異を設定したのは、この二つの事実を説明するためだったと思われる。プラトンの時代のジブラルタル海峡がギリシア人にとって航行困難だった理由は、実際にはその海域の制海権を海洋民族フェニキア人に押さえられていたからである。

　しかし、ジブラルタル海峡の外側にはヨーロッパ最大級の湿地の一つラス・マリスマス（現スペイン共和国アンダルシア州ドニャーナ国立公園内）があり、プラトンがそこを海上交通の難所として伝聞していたとしてもおかしくはない。世界各地のアトランティス候補地を探索したジャーナリスト、マーク・アダムス氏もドニャーナ国立公園周辺を有力候補地として挙げている（マーク・アダムス著、森夏樹訳『アトランティスへの旅』2015年）。

さて、アトランティス島は架空だとしても、既知の大陸にアトランティス帝国に匹敵する有力な勢力は存在しえたのではないかという考え方もある。アメリカの作家メアリー・セットガスト氏は、紀元前1万6000年～紀元前9000年頃のヨーロッパに広まったマドレーヌ文化と紀元前1万6000年～前8000年頃のアフリカ北西部に栄えたイベロマウル文化の複合体によるバルカン半島侵攻が、アトランティス物語のモデルではないかと唱えた（メアリー・セットガスト著、山本貴光・吉川浩満訳『先史学者プラトン』2018年）。

ちなみにマドレーヌ文化は刃物としての性能の高い石器や獣（けもの）の骨を加工した道具を使い、ヴィレンドルフ（オーストリア）のヴィーナスといわれる女性石像（女神像？）やラスコー洞窟（フランス）、アルタミラ洞窟（スペイン）などの壁画など精神文化の高さを示す遺物も残した文化だった。イベロマウル文化も骨器を用い、タフォラルト洞窟（モロッコ）の墓地群を残した。どちらも石器時代としては高度な文明を有していたことは間違いない。

しかし、マドレーヌ文化とイベロマウル文化は、金属器使用開始より前の後期旧石器時代に属している。つまり、金属器を有している「アトランティス物語」の世界の文化とは明らかに異質である。また、プラトンの時代まで、9000年も前の歴史地理が正確に伝えられたと考えるのは難しい。

ところでプラトンの時代、アジアの広域を支配し、リビアやヨーロッパにも勢力を伸ばしてギリシア本土を包囲する形になった帝国があった。それこそはアケメネス朝ペルシア（紀元前550～前330）である。

ペルシア帝国の最盛期、その領土は、東は中央アジア、南はアフリカ大陸北東部、西はバルカン半島北部に及んでいた。ヘロドトスの『歴史』が、ペルシア帝国とギリシアの戦闘を契機に書かれたことは前述した通りである。

岩波書店版『プラトン全集』において『ティマイオス』の翻訳を担当した種山恭子（1931～1995）は、その訳者解説で、アトランティス物語について「ペルシア戦争のイメージを、はるかな過去に投影したものであろうか」と評している。

アトランティス物語の構想を膨らませるうちに矛盾が生じたか

プラトンは『ティマイオス』『クリティアス』に先だって『国家』（『理想国』）を著し、理想を見失った民主制があっけなく独裁制に堕落していくこと、それを防ぐには国政を宇宙の調和と合致させ、自らと市民の魂の向上を求める哲学者を為政者としなければならないという哲人政治の概念を打ち出した。おそらく『ティマイオス』『クリティアス』『ヘルモクラテス』三部作は、哲人政治の前提となる宇宙の調和、哲人政治の過去の具体例としての超古代ギリシアの姿、そして哲人政治の具体的内容を解説するものとして構想されていたのだろう。

だが、『クリティアス』はいよいよアトランティス帝国の最期が迫ったというところでいきなりの中断、『ヘルモクラテス』はついに執筆されることはなかった。『クリティアス』の後に書かれた書物で、プラトンの著書でほぼ間違いないとされるもののあるため、『クリティアス』の中断は彼の死によるものではない。なぜ、プラトンが三部作構想を捨てたのか、その理由は明らかにされていない。

私見では、プラトンは、『ティマイオス』で触れたアトランティス物語の構想を『クリティアス』で膨らませていくうちにさまざまな矛盾が生じてしまうことに気づいたのだろう。

『ティマイオス』では、超古代のギリシアとアトランティスがともに天変地異で壊滅したことにした。だが、その天変地異が神々による正義の鉄槌だったとすると、悪の帝国として設定されたアトランティスはともかく、その悪の帝国を懲らしめる正義の国家だったはずのギリシアまでが、神の制裁を受けたことになる。

『クリティアス』ではゼウスがアトランティスへの制裁を神々に宣告しようとするところで終わるが、その制裁の対象にギリシアまで加えようとするなら説明に窮するのも当然だろう。

また、『クリティアス』においてはアトランティスの強大さがあまりに精緻に描写されており、さらにその国の人々の徳の高さも強調されている。そのため、後世にはアトランティスこそプラトンが目指した理想郷だと誤解する人が続々と出たほどである（近代アトランティス学自体、その誤解の産物である）。

結果として、アトランティス物語の展開においては、その偉大な国家と国民がいかにして堕落したか、具体的な描写が困難になってしまった。それもまた『クリティアス』におけるアトランティス物語の（ひいては『クリティアス』そのものの）打ち切りを招く原因となったのだろう。

しかし、この中断ゆえにアトランティス物語には、後世の人が自分たちの空想を仮託する余地が生じることになった。それがイグナシアス・L・ドネリーに始まる近代アトランティス学誕生につながるわけである。

陰謀論とも結びついた近代アトランティス学

プラトンにとって、アトランティス島を襲った天変地異は神による制裁でなければならなかったため、アトランティス物語は破綻せざるをえなかった。

自然現象としての天変地異（大噴火、大地震など）と人間の倫理は無関係という立場に立つならば、アトランティス人の倫理的問題と滅亡を切り離して考えることは可能である。だが、アトランティス物語に魅かれる心性は、自然現象に神の意志を見出したいという願望と密接に結びついており、結局、近代アトランティス学においても、破滅を招くほどのアトランティス人の堕落は具体的にはどのようなものだったのかという考察がさかんに行われることになった。

先述のジョージ・パル監督の映画『謎の大陸アトランティス』がその典型だが、アトランティスは超科学文明の地だったとして、その文明が生んだ大量破壊兵器の使用、もしくは暴走によって自滅したという解釈は、第二次世界大戦後にさかんに説かれるようになった。それは冷戦下における核兵器開発競争の脅威をはるかな太古に投影することで成り立った説であった。

プラトンは、神の子孫だったアトランティス王家も、時が経つにつれて神性を失っていったとしたのだが、これは世代を重ねることで神の直系以外の者との婚姻が重なり、神性が薄れたと言い換えることができる。

これが近代の進化論と結びつくことにより、アトランティス人の堕落はアトランティス人の種としての退化によるものだという主張が生じることになる。さらに、その退化の原因を劣等人種との混血に求めることで、アトランティス物語は人種差別論者にとって利用価値が生じることになった。

近代アトランティス学発祥当時においては自然科学の最先端であり、今なお生物学のみならず広範な自然科学の考え方の基礎をなしている進化論が、人種差別という非科学的な偏見のために利用されたというのは皮肉な成り行きだった。

人種差別正当化のためのアトランティス物語利用はナチズムにおいて顕著だが、その萌芽はイグナシアス・L・ドネリーの段階ですでにあった。ドネリーは反ユダヤ主義者で人種差別主義者でもあった。

政治家としての彼は黒人への教育普及に熱心だったが、小説家としての彼は、その文中で黒人への侮蔑を隠そうとはしなかった（平野孝「イグネイシアス・ドネリーの世界再考」『アメリカ研究』第22号、１９８９年3月、特集「世紀末」）。イグナシアス・L・ドネリーは世界のすべての古代文明の祖としてのアトランティス人が白色人種であることを疑おうともしなかったのである。

また、アトランティスの栄華が真実であったなら、なぜ、それが（プラトンの記述以外）歴史に登場することなく忘却されたのか、という疑問が生じるのも避けられない。そのため、近代アトランティス学は陰謀論とも容易に結びついた。すなわち真実の歴史を葬り去りたい勢力があって、彼らが歴史を書き換え続けてきた結果、アトランティスも表舞台から消されてしまった、というわけである。

超古代文明の実在、天変地異や古代最終戦争といった大異変による文明崩壊、人類の種としての退化、陰謀による真実の隠滅、というセットは、近代アトランティス学によって確立したパターンである。そして、これは他の超古代文明論にも応用が利く。すなわち、近代アトランティス学においてアトランティスが占める位置を、他のもの、たとえばムー文明なり宇宙人なり太古天皇なり地底人なりに置き換えても、この論法は成立するのである。

日本においても、この近代アトランティス学によって形成された思考法は、近代化とともに移入・定着していった。

古史古伝と呼ばれる文書は、この新たな思考法による解釈を与えられたり、成立の過程でこの思考法の影響を受けたりした。そうすることで、いわゆる古史古伝は、現代人にとって未知のテクノロジーに支えられた超古代文明の存在を語る「超古代史」になっていったのである。

大洪水以降の全人類の始祖と解釈されたノア

日本の「古史古伝」「超古代史」について論ずる前に、聖書とギリシア神話について話をさせていただきたい。その理由は二つある。

その一つは、現在の「古史古伝」「超古代史」解釈は近代以降に形成されたものであり、圧倒的な西欧文明の影響下にあるからだ。それを語るにはまず、西欧における神話や太古史のイメージの原点である聖書とギリシア神話の知識が必要だからである。

　また、二つ目の理由は「古史古伝」「超古代史」の原型となっている日本神話を、他の文化の神話と比較することで、それらに共通する人類の普遍的な思考を抽出できるかもしれないからである。その比較対象として、現在、世界的にも広く流布している聖書とギリシア神話は、わかりやすいサンプルとなりうるだろう。

　人類史上最大のベストセラー、それは聖書だという。ユダヤ教を奉じる民族としてのユダヤ人は民族の歴史書でもある旧約聖書を教典としている。後にユダヤ教から派生しながら特定の民族を離れた世界宗教となったキリスト教では旧約聖書の他に、新たに教典として新約聖書が編纂された。

　さらにキリスト教から派生したイスラム教でも、新約聖書・旧約聖書は教典として引き継がれただけでなく、キリスト教をベースとした西欧文明が世界を席巻することで、いまや聖書は特定の宗教にとらわれない人類全体の知的財産となった。

　さて、旧約聖書の冒頭に置かれているのは「創世記」だが、その第6章から第9章にかけて全世界を水が覆い尽くしたという大洪水のことが語られている。

　神に作られた人間が地上に満ち始めた頃、神の子たちは地上に降りて人間の娘たちを娶（めと）るようになった。その婚姻によりネピリム（ネフィリム）という巨人たちが生まれた。

巨人たちは古（いにしえ）の高名な英雄たちでもあったが、神の子から受け継いだ良き性質は長続きせず、地上に悪がはびこるようになった。

主なる神はそのありさまを悲しみ、正しき人ノアに命じて糸杉の木材で巨大な舟を作らせ、その表面をアスファルトで固めさせた。そして、その舟にノアとその家族を乗せた上で、儀式用の家畜と鳥をそれぞれ7つがい、その他のすべての動物のおのおの一つがい、そのすべてのための食糧を集めさせた。

主なる神は、ノアに7日の後、40日の間、雨を降らせて地上を水で覆い尽くすと告げた。そして7日後の2月17日にはその通りに雨が降り始め、ノアたちは舟に乗り込んだ。

溢れた水は平野だけでなく山々まで覆い尽くし、人も獣も鳥もすべて息ある者は死に絶えた。ただ、方舟に乗り込むことができた者を除いて……。

雨がやんでからも水はなかなか引こうとせず、舟は150日の間、水面を漂い続けた。方舟がとどまったのはアララト山（現トルコ共和国東端、アルメニア共和国とイラン・イスラム共和国との国境がせめぎ合う地域の高山）の近くだった。7月17日のことである。

ノアはカラスや鳩を使って地表に降りられるところがあるかどうか探させた。ノアたちが方舟を降りて乾いた大地に立ったのは船出した翌年の2月27日のことだった。

航空機から見下ろしたアララト山（2009年撮影）

ノアは祭壇を築き、あらかじめ選んでおいた家畜や鳥を用いて、燔祭（いけにえを神に捧げる儀式）を行った。主なる神は二度と地上の生き物を滅ぼすことはないとノアに誓ったという。

大洪水とノアの方舟の物語は多くの娯楽作品の題材となり、キリスト教圏・イスラム教圏以外でも親しまれている。アメリカ・イタリア合作で「創世記」を映画化した『天地創造』（1966年）でも大洪水とノアの方舟は大きな見せ場となっている。

最近では2014年にアメリカの大作映画『ノア　約束の船』が公開された。面白いのは、この映画では、うろこ状の表皮を持つ犬に似た獣だの、ヘビともトカゲともつかない爬虫類だの、現存種に対応しない動物がいくつか登場することである。そこには、動物は方舟に乗り損ねたか、ある事情から舟の中で死んでしまったために絶滅してしまったという設定が隠れているものと思われる。

キリスト教圏である西欧では、「創世記」はユダヤ人という一民族を中心とした中東のローカルな伝承ではなく、全人類が共有していた実際の歴史だという認識が長らく支配していた。当然、大洪水は文字通り全世界的規模で展開した事件であり、ノアは大洪水以降の全人類の始祖という解釈がなされていたわけである。

しかし、大航海時代以降、西欧以外のさまざまな文明に関する報告がなされるようになって、人類史の起源を「創世記」で説明する論法には無理があることが明らかになっていった。そして、1872年、大洪水とノアの方舟の史実性を否定する大発見がなされることになる。

ノアの方舟の話はメソポタミアに伝えられていた

この当時、ヨーロッパの考古学界は解読されたばかりの楔形文字(くさびがた)（紀元前3500年頃から紀元1世紀頃にかけて、現在のイラク共和国方面を中心に用いられていた文字）で書かれた粘土板文書の解読で沸き立っていた。

かつてアッシリア王国（メソポタミア北部の古代国家）の首都だったニネヴェ（現イラク共和国モスル市）にあった紀元前7世紀の図書館跡からは大量のタブレット（粘土板）が出土していた。大英博物館（ロンドン市）でその修復と文字の解読を行っていた考古学者ジョージ・スミス（1840～1876）は、その中に「創世記」の大洪水とそっく

楔形文字で書かれた粘土板文書（前2500年頃、イラク・シュルッパク出土、大英博物館蔵）

りな記述があることに気づき、1872年12月の聖書考古学界でその解読を公表した。それが『ギルガメシュ叙事詩』の発見である。

古代都市ウルクの王にして英雄ギルガメシュは、親友エンキドゥ（エルキドゥではない）の死を目の当たりにすることで、自分もまた死の運命は避けられないものと知る。

そこで不死の霊薬を求め、すでに不死を得た人というシュルッパク（現イラク共和国テル・ファラ遺跡）の王・ウトアナピシュテムの所在を尋ね、新たな冒険に旅立った。ようやく出会ったウトアナピシュテムは、ギルガメシュに、かつて大洪水が地上の生き物を滅ぼした時、自分は家族や動物たちを連れて巨大な舟に乗り込み生き延びることができたと告げる……。

叙事詩の顛末は、ギルガメシュがウトアナピシュテムからいったんは不死の薬を得ながら、それを失ってしまう、というものだった。このウトアナピシュテムの身の上話が細部にわたって「創世記」のノアの話とそっくりだったのである。

その後、現シリア・アラブ共和国のラス・シャムラにあった古代都市ウガリットの遺跡から出土した紀元前18世紀頃の粘土板からアッカド語で書かれた大洪水の叙事詩が発見された。その大洪水から生き延びた主人公の名はアトラハシス（最高の賢者）という。

さらに現イラク共和国バグダートに近いニップール遺跡から出土した紀元前17世紀頃のシュメール語の粘土板文書では、シュルッパクの王ジウスドラが息子に巨大な舟に乗って大洪水から助かったいきさつを語るという物語が見つかった。

こうして「創世記」の大洪水とノアの方舟の話は「創世記」が書かれる以前からメソポタミアに広く語り伝えられていた物語であり、ノアはウトアナピシュテム、アトラハシス、ジウスドラなどの名で語られてきたキャラクターを引き継いだ人物であることが判明したのである。

19世紀後半には、すでに聖書の実証主義的研究で、旧約聖書「創世記」は複数のテキストの合成であることが判明していたが、大洪水の原話の発見は「創世記」の原史料の研究を推し進めるものとなった。

さて、古代メソポタミアの大洪水物語は多神教の世界観で語られた物語である。神々の中には人間を滅ぼそうとして洪水を起こす者がいる一方で、人間をわずかでも守ろうとして舟の作り方や洪水の時期を教える者がいる。

人間を滅ぼそうとする神も、滅ぼす行為は人間の罪深さを憎むがゆえであって、けっして邪悪なわけではない。神々の規範は、人間から見て善悪を超えたところにあるのだ。

ところが「創世記」は、一神教の教典として内容を整理されたために同じ主なる神が、人間を滅ぼそうとする一方で、ノアたちを救おうとした。さらに二度と人間を含む地上の生き物を滅ぼすことはないと誓うことで、ノアは神に選ばれて生き残った存在であることが強調されてしまった。

この主なる神に選ばれた者のみが生き残って地を受け継ぐ資格があるという発想は、大洪水のくだりだけでなく旧約聖書において繰り返し語られるモチーフとなった。そして、それは旧約聖書を介してユダヤ教・キリスト教・イスラム教に共有され、しばしば彼らによる侵略や暴力を正当化するためにも用いられることになったのである。

塩の柱は、石の柱の起源説話の名残か

「創世記」第18章では、ユダヤ人の最初の族長であるアブラハムが主なる神とその使い二人と出会ったことが語られる。主なる神はソドムとゴモラという二つの町の人々があまりに罪深いので、その行いを確かめに来たと告げた。二人の使いがソドムに去ってからアブラハムは主なる神と交渉し、ソドムに行い正しき人が10人いたなら、その町を滅ぼすことはないと約束させた。

続く第19章では、神の使いの二人がソドムで、アブラハムの甥のロトの家に迎えられて歓迎されたことと、町の人々がロトの家に押し寄せて二人の旅人（つまり神の使い）を差し出すよう脅迫したことが語られる。神の使いたちはロトに家族を連れて町を出るように告げた。

ロトは妻と二人の娘を連れてその助言に従った。娘の婚約者たちも連れ出そうとしたが、彼らはロトの言うことを聞かずに町にとどまった。

神の使いは、後ろを振り返ることなく山に逃れるよう告げた。ロトは山に登ることはできなかったが、家族とともにゾアルという小さな町にたどり着くことができた。

やがて主なる神は火と硫黄を降らせてソドムとゴモラを滅ぼした。ロトの妻はかつて住んでいた町の方を見ようと振り返ったため、塩の柱になってしまった。荒野にいたアブラハムはソドムとゴモラの方を見たが、そこには竈（かまど）から立ち上るような巨大な煙が見えるだけだった。

この後、ロトは自分の娘たちに誘惑されて子を成し、その子らは後に死海東岸に国を建てるモアブ人と、ヨルダン川東岸に国を建てるアンモン人の祖となったとされる。

ソドムとゴモラの正確な所在は不明である。火と硫黄の雨は火山噴火を連想させるが、最有力候補地とされる死海東岸方面にはいくつもの町を壊滅させるような大きな火山は見当たらない。そのため、この地域で古代都市が滅んだとすればそれは死海の洪水によるもので、火山を思わせる描写は後から取り入れられたものではないかという論者もあるくらいだ（たとえばヤコブ・ベンター「聖書に見られる地質学的事象」『地学雑誌』103巻1号、1994年）。

ちなみに死海東岸には風化によってできた石の柱も多い。ロトの妻が塩の柱になったというのはその石の柱の起源を説明するための説話の名残だろう。つまり町の壊滅とともに石になった人たちがいたという話がロトの妻をめぐる顛末として残ったわけである。

また、ロトの子らから生まれたという二つの民族はどちらも歴史的にはユダヤ民族と敵対関係に陥っており、彼らが父と娘の交わりから生まれたというのはその発祥自体に罪の刻印を与えようとする作話だろう。

「創世記」はソドムとゴモラの民が犯した罪について具体的には語らない。ソドムの男たちが神の使いを捕らえようとしたことから男色の横行が暗示されるだけである。

旧約聖書の「エゼキエル書」や新約聖書の「ユダの手紙」では、ソドムとゴモラについて、（その住民が）忌まわしい肉欲に関する罪を犯した、とされるが、具体的な内容は不明で、「創世記」の暗示を引き継いだだけともとれる。

「出エジプト記」の災厄は、古代中東の自然災害を列挙したものか

旧約聖書「出エジプト記」は、エジプトで労役に服していたユダヤ人が預言者モーゼの指導の下、東方に逃れてシナイ半島方面をさすらった時期の記録とされる。「出エジプト記」第7章から第15章は、ユダヤ人の脱出を阻止しようとするエジプトの民とその王パロ（ファラオ）を襲った災厄を語っている。

モーゼは兄アロンとともにパロの王宮に行き、ユダヤ人がエジプトを去るための交渉を行った。パロがその許しを与えそうにないのを見て取ったモーゼは、主なる神の命じるままにさまざまな災厄を起こした。

モーゼはまずナイル川を流れる水を臭い血に変えた。川の魚は死に、エジプトの民は水を飲むことさえできなくなった。

7日後、パロがまたモーゼらの交渉を断ると、今度は池や川にいるカエルをみな陸に上げた。地上はカエルに覆われた。困り果てたパロに次の交渉を約束させたモーゼらはカエルに死を命じたが、今度は積みあがったカエルの死骸のために地上は悪臭に満ちた。

次の交渉でもパロはモーゼらの言に耳を傾けなかったので、今度は塵（ちり）を大量のブヨ

（カよりも悪質な吸血昆虫）に変えて人や家畜の血を吸わせた。
その次にはエジプトの家畜が馬や牛、ロバ、ラクダ、羊を問わず死に絶えた。また
その次には、人も獣も問わずに腫物（はれもの）の病が流行った。さらにその次には雹（ひょう）が降って野
にいたものは人も獣も問わず、それに打たれ、農作物にも被害が出た。
続いてエジプトを襲ったイナゴの大量発生によって、かろうじて雹の害を逃れた農
作物も食い尽くされてしまった。これだけの災厄がエジプトにもたらされながらユダ
ヤ人の生命と財産は損なわれることはなかった。
モーゼが主なる神に祈ると、イナゴは風に飛ばされて去っていったが、パロはなお
もモーゼらの要求を拒んだ。
ユダヤ暦（宗教暦）正月14日、ユダヤ人たちはモーゼとアロンに託された主なる神
の言葉に従い、子羊を屠（ほふ）ってその血を家のかもいと二本の柱に塗った。それから7日
の間、種入れぬパン（酵母で膨らませていないパン）を食べ続けた。
主なる神はエジプト全土を巡り、人と家畜の長男に死をもたらした。しかし、目印
の羊の血がつけられた家には訪れることはなかった。こうしてエジプト人はパロから
囚人たちまで、そのすべてが長男を失った。これでようやくパロもユダヤ人の脱出を
認めた。
ちなみにこの故事は今もユダヤ人が宗教暦正月15日（現在広く使用されるグレゴリオ暦

では3月末から4月にかけての満月の日）を初日として行われる過ぎ越しの祭りの起源とされている。

さて、ユダヤ人たちが荒野に出てから、モーゼは主なる神の言に従い、野営地を海岸（紅海の西岸？）に定めた。そこにユダヤ人たちを連れ戻そうとするパロが、戦車600と大勢の将兵を率いて押し寄せてきた。

モーゼが海の上に手をかざすと、海水が二つに分かれて垣根のようになり、水のない道が現れた。ユダヤ人たちはその道を進んで対岸へと歩んだ。

パロとその戦車、将兵は跡を追ったが、モーゼが再び手をかざすと海は元の通りとなり、パロの軍勢はすべて呑み込まれてしまった。いわゆる紅海の奇跡である。

このスペクタルシーンも映画の見せ場とされた。名監督セシル・B・デミル（1881〜1959）が「出エジプト記」を映画化した『十戒』（1956年）での海が割れるシーンは、当時のSFX技術の粋ともいうべきもので、その技法は、日本映画でもたとえば『大魔神怒る』（1966年）で大魔神が海を割って現れるシーンとして引用された。

リドリー・スコット監督の『エクソダス　神と王』（2014年）では、紅海に大きな流れ星が落ちた翌日に海の水が大きく引いて、道が現れるという描写になっている。これはおそらくエジプト軍の壊滅を隕石落下による大津波として解釈したものだろう。

ユダヤ人が通った道は大津波の前に生じる引き潮によって現れたというわけである。

この映画での紅海の奇跡の描写は、公開の3年前の東日本大震災の際、大量に配信された津波の映像を研究したことをうかがわせるものだった（なお、実際の大津波では起きる前に必ず大きな引き潮があるとは限らず、東日本大震災でも引き潮を待ってから避難しようとして津波に呑まれた人々もいた）。

なお、『十戒』でも『エクソダス　神と王』でも、パロはエジプト軍壊滅の際に生き残っている。そのあたりは「出エジプト記」の記述とは違っているのだが、これはどちらの映画もパロを、古代エジプト最盛期をもたらしたラムセス2世（紀元前14～前13世紀頃）に当てているためであろう。ラムセス2世のミイラは現存しており、彼が高齢で天寿をまっとうしたことを示している（現在はカイロ市のエジプト考古学博物館の所蔵）。

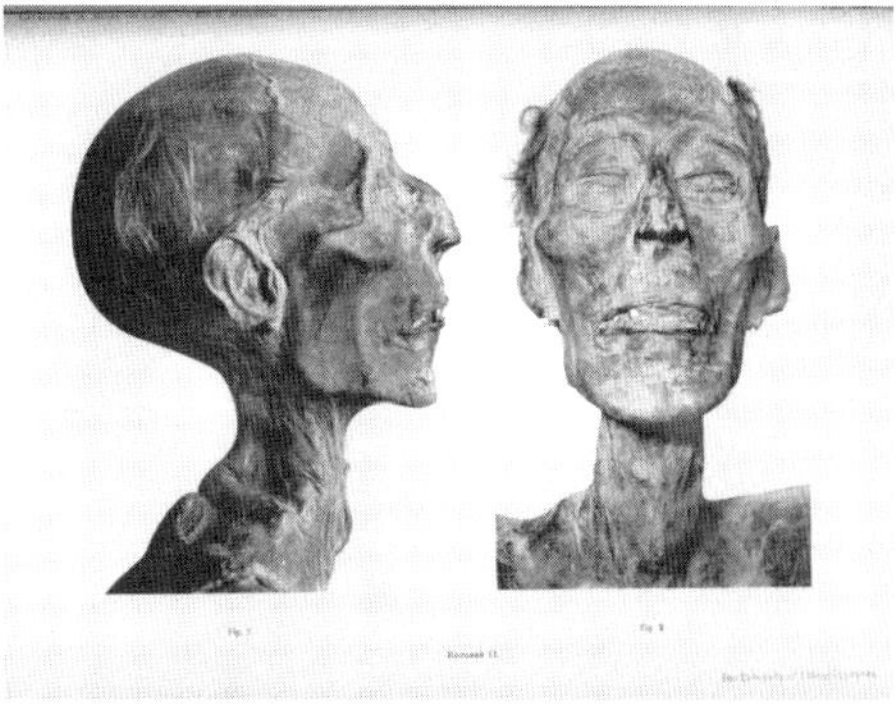

ラムセス２世のミイラ（エジプト考古学博物館蔵）

「出エジプト記」におけるエジプトの災厄は、古代中東で生じがちだった自然現象による災害を列挙したものとも考えられる（川の水が血になったというのは有害なプランクトンが増えて水の色が変わる現象だろう）。自然災害は、人間の思いや営みを越えたものであるからこそ、「出エジプト記」はそれらを神の意志の表れとしたのである。

そして、それらの災害の中でももっとも恐れられたものが疫病だったために、最大の災厄として、子供たちを殺す病が配置されたものであろう。

「紅海の奇跡」に相当する事件が実際に起きたのか、また、実際に起きたとすればその真相は何だったのかは不明である。『エクソダス　神と王』が暗示した大津波もありえないことではない。また、大津波説をとった上で、その原因をエーゲ海の火山島ティラ島（サントリーニ島）で生じた大噴火に求める説もある（その点は26頁で触れた）。

石から人間が生まれた逸話はギリシア独自の所伝

洪水伝説は聖書やメソポタミア神話だけでなく、インド神話、中国神話など世界各地に見ることができる。これは人類が地球上のさまざまな地域で洪水に苦しめられ続けてきたという現実の反映でもある。

洪水伝説の主人公で、西欧において、ノアに次いでその名を知られたのはデウカリオーンとその妻ピュラーである。彼らはギリシア神話における洪水伝説の主人公だった。

ある時、神々の王ゼウスは人間たちが邪悪と奸智と暴力にまみれているのを見て、いったんすべてを滅ぼしてしまおうと考えた。ゼウスがそう決心したきっかけに、次のような事件があったともいう。

ゼウスは人間の旅人に姿を変え、ペレポネソス半島中央部のアルカディア（現ギリシア共和国アルカディア県）の王リュカオーンの館を訪れてその客となった。

リュカオーンは旅人のために食事を饗したが、それには人肉が用いられていた。その理由については客がゼウスであることを見抜いたリュカオーンが、最上の供物を捧げようとしたとも、やはりゼウスであることを見抜いてはいたが神がその罪深い食材の正体に気づくかどうか試そうとしたともいわれる。

いずれにしても、この料理はゼウスの機嫌を損ねるものでしかなかった。ゼウスは調理された子供を生き返らせると、リュカオーンとその息子たちを狼に変えてしまった（アフリカ大陸広域に分布するイヌ科の猛獣リカオンの名は、このリュカオーンに由来する）。

ゼウスはその怒りを全人類に向けた。雷の神でもあるゼウスは落雷で地上を焼き尽くすことを考えたが、それだと天上に火が燃え移るかもしれない。

ゼウスは雲を集め、天上の水を雨として地上に降り注いだ。一方で海の神ポセイドンにも命じ、海の水をも繰り出して地上を覆わせた。こうしてすべての大地は水に沈み、ただ、パルナッソス山（標高2457メートル）の頂のみが水面に突き出ていた。

この洪水で助かったのはデウカリオーンとピュラーの二人だけだった。紀元前後のギリシア人作家アポロドーロスによると、彼らは大きな箱を作って生活必需品とともにその中に隠れ、パルナッソス山に漂着したという（高津春繁訳『ギリシア神話』1953年）。また、彼らはいかだに乗っていた、あるいは彼らは洪水が起きる前にパルナッソス山に避難したという異説もある。

ゼウスはこの夫婦が善良で神への信仰を忘れない人々であったことを思い出し、九日九夜の間続いていた大雨を止ませた上、海神にも水を引くよう命じた。

助かった二人はパルナッソス山を下り、そこで見つけた神殿で祈りながら、これからどうやって人間を増やすか、神に問うた。そこでもたらされた神託は「母の骨を後ろ向きに投げよ」であった。

二人は最初、親の遺体を無下に扱うわけにいかないと思ったが、やがてデウカリオーンが、母とは大地、その骨とは石のことだと気づいた。デウカリオーンが投げた石は男に、ピュラーが投げた石は女となって、たちまち大勢の人間が生まれた。

石から生まれた人々は頑健で、洪水により荒れ果てた地上を開拓するのにふさわしい種族であった。彼らは地上すべての人間の祖先となったとも、小アジアの先住民だったレレゲス人の祖先だともいう。

アポロドーロスが伝えた箱舟による生き残りは、旧約聖書「創世記」と同様、メソポタミア神話の影響を受けたものと思われる。しかし、人類が石から生じたというのはギリシア独自の所伝である。

ちなみに古代ギリシア語で「拾い集めた」はレクトイ、石はラーアスといったため、この話は民族名レレゲスと「（石を）拾い集めた」という言葉レクトイ、人民を意味するラーオスとラーアス（石）とのそれぞれ語呂合わせになっている（中務哲郎訳『ヘシオドス全作品』２０１３年・訳注より）。

『ティマイオス』でのパエトーンの災厄の解釈

さて、この章の冒頭で扱ったプラトン（紀元前４２４～前３４７）の著書『ティマイオス』によると、ソロン（紀元前6世紀頃のギリシアの賢人）がエジプトを旅した折、年老いた神官にデウカリオーンとピュラーの話をして、その洪水の年代をエジプトの伝承から確かめようとしたという。神官はそのような人類の滅亡と再生はこれまでに何度も繰り返されてきたと言い、その別の例として、ヘリオス（太陽神）の子パエトーンによってもたらされたとされる災厄を挙げたという。

パエトーンの災厄について、ギリシアの文献では『ティマイオス』も含め、断片的に伝わっているだけである。まとまった形で出てくるのは詩人オウィディウス（紀元前43〜後18年頃）の『変身物語』（ギリシア神話を題材にした叙事詩調物語集）や紀元前後の作家ヒュギヌスの『神話集』などローマ時代の文献においてである。

古代ギリシアでは太陽神としてヘリオスとアポロンの名が伝わっていたが、ローマ時代にはアポロンの方が一般化していた。そのため、本来はヘリオスの子であったパエトーンを、オウィディウスはアポロンの子として語っている。

パエトーンはアポロンの子であることを誇っていたが、友人から、そんなことは信じられない、と笑われた。

パエトーンがそれを母に告げると、母は自分で父親アポロンのところに行って確かめるよう勧めた。パエトーンは生まれ故郷のエチオピアを離れ、インドをも超えて東の果て、昇る朝日を送り出す場所へと旅立った。

光り輝く宮殿で玉座に坐していたアポロンは、訪ねてきた若者が自分の息子であることを認め、なんなりと望みを言うように告げた。

パエトーンは一日だけでも太陽の二輪馬車を自分で御してみたいと言った。アポロンは驚き、あの馬車を御せるのは自分のみで、神々の王ユピテル（ギリシア神話のゼウス）にさえ扱えないのだと言ったが、パエトーンの決心は変わらなかった。

パエトーンが手綱をとると、馬車は光を放って大空を駆けた。若者が喜ぶのもつかのま、たちまち馬たちは気ままに走り出し、馬車は普段の道を外れた。

山々は太陽の馬車に触れて燃え上がり、その炎は地上へと広がった。いくつもの町が焼かれてその住人もろとも灰となった。リビア（北部アフリカ）の水は干上がって広大な砂漠となり、エチオピア人の表皮は強い光を浴びて黒くなった。

ナイル川などいくつもの大河では水をつかさどる妖精が地表の熱さを逃れて潜ったため、源流の場所はわからなくなった。

ユピテル（ゼウス）はパエトーンの父たるアポロンを含めた神々を集め、地表のすべてが焼き尽くされるのを防ぐと告げて、暴走する太陽の馬車の御者を雷で撃ち落とした。

パエトーンは燃えながらエリダヌス河（ナイル河とも、イタリアのポー河ともいう）に落ちていった。パエトーンの妹たちは兄の屍（しかばね）を河から引き揚げて葬った。その弔いで流された涙は海に流れ着いて琥珀になったという。

ちなみに『ティマイオス』では、パエトーンの災厄は、天体としての太陽の運行が軌道から外れることで生じたという解釈をとっている（プラトンの宇宙観は地球を中心として、太陽や恒星が地球の周囲にある軌道に沿って回るという天動説的構造になっている）。

トロイア戦争時にアカイア連合軍を襲った悪疫

さて、ギリシア神話における疫病の記述といえば、まず挙げるべきは紀元前8世紀頃の詩人といわれるホメロスの代表作『イリアス』で語られた、トロイア戦争時のアカイア連合軍の陣営を襲った悪疫だろう。

トロイア戦争はギリシア神話で語られる古代世界最大規模の戦闘であり、現在のギリシア・ペロポネソス半島とその周辺のアカイア人が、小アジアのトロイアに遠征したとされるものである。その戦闘の経緯はホメロスの『イリアス』『オデュッセイア』をはじめ、さまざまな作者による叙事詩や物語に分散して記述されている。

20世紀にはドイツのアマチュア考古学者ハインリヒ・シュリーマン（1822〜1890）によるトルコやギリシアでの発掘作業により、トロイアの古代都市イリアスやトロイア戦争そのものの実在が証明されたという説が流布していた。だが現在では、シュリーマンの発掘調査には多くの誤認があったことが判明しており、さらに出土品の捏造疑惑まで生じている（デイヴィッド・A・トレイル著、周藤芳幸訳『シュリーマン　黄金と偽りのトロイ』邦訳1999年、大村幸弘『トロイアの真実』2014年）。

現時点では、トロイア戦争は紀元前8世紀頃より前の古代世界で幾度も繰り返された地中海勢力と小アジア勢力の衝突の一つ、もしくは混同された複数の衝突が伝承化したものという以上のことはいえないだろう。

さて、『イリアス』は24の歌（章）で構成されているが、その第一歌は、トロイアの神官クリュセスが戦の最中にアカイア軍に捕らえられた娘を返してほしいと陣中に交渉に行くところから始まる。アカイア軍の総大将アガメムノンは戦利品である娘を返そうとはせず、乱暴に老神官を追い返した。

クリュセスはアポロンに祈りを捧げる。

〈お聞き下さい銀（しろがね）の弓持たす君、クリュセならびに聖地キラの守り神、さらにテネドスを猛（たけ）き力に統べ給うスミンテウスよ、かつてわたくしがあなたのために御心に叶う社（やしろ）を築きまいらせ、また牛、山羊の肥えた腿（もも）を焼いてお供えしましたことをお忘れなくば、このわたくしの望みを叶えて下さいませ。どうかあなたの弓矢によってダナオイ勢に、わたくしの流した涙の償いを払わせてやって下さいませ〉（松平千秋訳、岩波文庫『イリアス』上巻）

「クリュセ」「キラ」「テネドス」は古代の小アジアにあった地名、「ダナオイ」とはギリシア人、この場合はアカイア軍のことである。「スミンテウス」については後に述べよう。

つまりクリュセスは、アポロンのために神殿を建てたり、牛やヤギのバーベキューをお供物として捧げてきたりしたことを告げて、それに見合っただけの力を見せろと神に乞うたわけである。アポロンはその祈りに応えた。

〈ポイボス・アポロンはその願いを聴き、心中怒りに燃えつつ、弓とともに堅固な覆いを施した矢筒を肩に、オリュンポスの峰を降る。怒れる神の肩の上では、動きにつれて矢がカラカラと鳴り、降りゆく神の姿は夜の闇の如くに見えた。やがて船の陣から離れて腰を据え一矢を放てば、銀の弓から凄まじい響きが起る。始めは騾馬と俊足の犬どもとを襲ったが、ついで兵士らを狙い、鋭い矢を放って射ちに射つ。かくして亡骸を焼く火はひきもきらず燃え続けた〉（松平千秋訳）

古代ギリシアでは男性が急死した時には「アポロンの矢に射られた」というたとえが用いられた。ホメロスは、そのたとえを踏まえつつ、アポロンが矢筒を肩にかけ弓を持ってアカイア軍の兵士を射殺していく様を即物的に語ったのである。

この描写は**目に見えない疫病の蔓延をアポロンの姿を借りて可視化したもの**だった。「ポイボス」とは光り輝く神としてのアポロンへの尊称である。今でいえばアポロンはアカイア軍相手に細菌兵器を使用したというところだろうか。

アカイア軍の英雄アキレウスは兵士がさらに疫病で斃(たお)れるのを防ぐため、アガメムノンの反対を押し切ってクリュセスに娘を返し、アポロンの怒りを鎮める儀式を執り行ってもらった。これがもとでアガメムノンとアキレウスの間に不和が生じ、さまざまな悲劇が派生するのだが、それはまた別の物語である。

さて、先ほどいったん保留にしたアポロンの称号「スミンテウス」だが、これはネズミを支配する者を意味する。ネズミは狼や白鳥とともにアポロンの聖なる動物の一つであり、ギリシアのアポロン神殿にはしばしばネズミの像が設置されている。

この称号について農作物の害獣であるノネズミを押さえ込む者という意味が込められているともされる（たとえば岩波文庫『イリアス』上巻訳注）。しかし、『イリアス』の文脈においては、この称号は敵に疫病をもたらすための祈りに出てくるものである。

現代ではネズミはしばしば疫病を媒介することが知られている。特に、14世紀のヨーロッパで大流行して数千万単位での人命を奪ったといわれる黒死病（ペスト）はモンゴル帝国の成立で活発となった東西貿易が、ペスト菌に感染したネズミの移動をも促した結果、急速に広まったともいわれている。

このことを念頭に置くなら、『イリアス』においては**「スミンテウス」が疫病の媒介者としてのネズミの王を意味した可能性**も求められるべきだろう。

戦場での野営地はとかく不衛生的になりがちなものである。また、大規模な遠征は、兵士がそれまで出会ったことがない（したがって免疫もない）病原体と接触したり、逆に兵士が運んだ病原体が免疫を持たない現地住民にばらまかれたりすることで、疫病蔓延の原因となりやすいものである。

『イリアス』においてアカイア人を襲った疫病も、歴史上幾度となく繰り返された遠征による疫病蔓延の初期の報告例といえよう。

アイギナの疫病を描写した『変身物語』

トロイア戦争から数世代前、エーゲ海における海上交易の拠点で、現在はリゾート地としてにぎわうアイギナ島を疫病が襲ったことがあるという。それを詳しく伝えるのはオウィディウス『変身物語』である。

ユピテル（ゼウス）と美女アイギナの間に生まれたアイアコスは、それまでオイノピアと呼ばれていた島の王となり、その島に自分の母の名をつけた。ユピテルの正妻ユノー（ヘラ）は、アイアコスの母、すなわち自分の夫であるユピテルが愛した女アイギナの名で呼ばれる島を憎み、そこに呪いをかけた。

アイギナ島の空には濃い靄が立ち込め、4日の間、南から吹き付けた風で、その雲は熱気をはらんだ。農作物が枯れた畑を何千というヘビが這い回り、河川はその毒で満ちた。

やがて島の犬、鳥、羊、牛、馬、そして野生の獣たちが次々と動かなくなり、そのまま死んでいった。貪欲な鳥たちや狼でさえも、その動物の死骸を食べようとはしなかった。

疫病は、人間にも猛威を振るい始めた。農民も市民も、体内を巡る炎で全身赤らみ、ぜいぜいと喘ぎつつ内臓を焼きただれさせて死んでいった。

人々は、疫病が神の力でもたらされた災厄であることを知らぬまま、医術によって対抗しようとしたが効果なく、かえって医師たちの多くが病の猛威を受けて命を落としていくありさまだった。熱とのどの渇きに苦しみ、水を飲もうと泉や川に押し寄せた人たちの多くが、水に顔をつけたまま起き上がることができずに骸(むくろ)をさらした。

家を這い出たまま息を引き取った人々が道にあふれ、苦しみから逃れようと首を吊る者もあり、神殿の前にさえ死体が転がっていた。息がある人々は遺体を荼毘(だび)にふすための薪の奪い合いを始めた。

土葬にするには土地が足りず、葬儀のためのお供えの品もなく、火葬にするには土地も薪も足りず、死体の山はただ積み重ねられていった。

アイアコス王は自らが治める国がなすすべもなく滅びていくのに苦しみ、神殿で父ユピテルに民を返してくれるよう祈りを捧げた。

神殿のそばにはユピテルの聖樹とされた樫の木があり、その幹の樹皮のひだを通り道としてアリの群れの列が続いていた。アイアコスはその樫の木に目を向け、自分より大きな荷を運ぶアリたちの勤勉さとその数に驚きながら、同じ数の市民を与えてくれるように祈った。

その夜、アイアコス王は、神殿の樫の木の枝が風に揺れて、地上にばらまかれたアリが成長して人間となる夢を見た。目覚めたアイアコスは自分の夢をばかばかしく思いながらも、王宮を出て、そこに夢見た通りの男たちが並んでいるのを見た。

アイアコス王はユピテルのために感謝の祭りを行い、彼らに市民権と農地を与えた。アイアコス王は彼らをミュルミドン（アリ男）と名付けた。アイギナは、勤勉で屈強で、富を蓄えるのに熱心なアリの特性を受け継いだ新たな市民たちのおかげで大いに栄えた。

後に、経済力と軍事力の双方でエーゲ海の覇者たらんとしていたクレタ島のミノス王が、アイギナの同盟国であるアテナイに攻め込もうとした時、アイアコス王が他のギリシア諸国との同盟を背景にミノス王と交渉し、開戦を防いだという。ミュルミドンに支えられたアイギナの国力を示すエピソードである。

『変身物語』におけるアイギナの疫病の描写は具体的で、ミュルミドン誕生という幻想的な結末とは噛み合わない印象を与える。オウィディウスの時代には、たとえば歴史家トゥキュディデス（紀元前460年頃～前400年頃）の『戦記』におけるアテナイの疫病（紀元前430年頃）の記述など、ギリシア、ローマでの実際の疫病に関する記録が多数残っていたので、『変身物語』執筆にもそれらを参照できたのだろう。

アイギナを襲った疫病は、王以外の住民ほぼ全体を入れ替えるほどの被害をもたらしたとされる。あるいはこの神話は、かつてエーゲ海の島嶼（とうしょ）部で生じた民族交替の事実に基づき、その変動の原因として疫病を持ち出したものかもしれない。

◎まとめ――理不尽な神が支配する世界

以上、旧約聖書（及びその元になったメソポタミア神話）とギリシア神話における災害や疫病の記述を拾ってみたが、それらには次のような共通の要素を見ることができる。

○災害や疫病は人間にとっての脅威であるだけでなく、他の生き物をも巻き込む生態系全体の脅威として描かれる。

○災害や疫病は、人間の側からすれば理不尽な神の意志によってもたらされる。神の警告に従ったり祭祀を行ったりすることによってその被害を軽減することもできるが、

効果は限定的である。

後者についていえば、理不尽なのは災害や疫病そのものであり、神は、その理不尽な状況を説明したり、（気休めにすぎなくても）被害の軽減を求める対象としたりするための装置といってもよいかもしれない。

第2章　転変地異・予言で読み解く「古史古伝」

『上記』でウガヤフキアエズ朝の謎が解ける

出雲王朝とウガヤフキアエズ朝について語る『上記』

『上記』は鎌倉時代の筑後豊前豊後守護・鎮西奉行の大友能直（1172〜1223）が豊後の地において家臣たちとともに編纂したとされる史書である。ただし、史実では能直は九州の任地へと下向していないため、能直編纂というのはあくまで仮託で、実際の成立時期は江戸時代後期と思われる。

『上記』を世に出したのは豊後国府内（現・大分県大分市の中心部）在住の国学者・幸松葉枝尺（1812〜1878）である。幸松は天保二年（1831）頃、豊後国大野郡土師村（現・大分県豊後大野市）で庄屋を務める旧家・宗像家から出てきたという奇妙な書物を入手した。

幸松葉枝尺は当初、その全文が漢字とも仮名とも異なる奇妙な文字で書かれている上、その文字をなんとか解読して読んでみても、記紀とは異なる神話がしたためられているため、役に立たないとしてそのまましまい込んでしまった。天保九年、幸松はその書物を取り出して改めて読んでみたところ、それが貴重な古伝を記した書だとの確信を得た。明治になってから幸松の写本を通じて、主に豊後の文人の間で『上記』は次第に読まれるようになった。

大分藩に仕える学者の家柄だった吉良義風（生年不詳〜1881）は『上記』の抜粋を漢字仮名混じり文に書き換えた全3巻の和綴本『上記鈔訳』（1877年）を著した。『上記鈔訳』は話題となったが、学者たちの間では、『上記』自体が吉良義風の偽作という誤解が生じ、それ以降は好事家ばかりがもてはやす奇書というイメージになってしまった。

なお、『上記』には幸松葉枝尺が広めた写本の系統と別に、明治七年（1874）に海部郡臼杵福良村（現・大分県臼杵市内）在住の大友惇という人物の家から出てきたという写本がある。『上記』写本で、幸松葉枝尺が広めた系統の本は宗像本、大友家から出てきた本は大友本と呼ばれる。宗像本にも欠落があるが、大友本の欠落はさらに多い。

そのせいか、宗像本は今日までに吉田八郎訳『上つ記』上下2巻（1973）、吾郷清彦訳『ウエツフミ全訳』全5巻付録1巻（1976）、田中勝也訳『註釈　上紀』（2005）など複数の現代語訳がなされているが、大友本についてはは普及の動きはほとんどない（一部がウェブサイト「解読　上紀」においてデジタル化）。

『上記』の内容は天地の初めから神武天皇による統治までを対象とする。その本文は特異な表音文字で書かれており、研究家はそれを豊国文字と呼んでいる。記紀と比較した場合、内容上の特色として挙げられるのは、出雲王朝とウガヤフキアエズ朝である。

『古事記』には、スサノオが出雲国に下ってから、天孫降臨（皇祖神ニニギが高天原から群臣とともに降臨したこと）の際に出雲国を国譲りしたオオクニヌシまでの間に、五代の系譜があったとする。だが、『古事記』は出雲王朝ともいうべきその五代の間の事蹟については語らない。

しかし、『上記』はその五代も出雲国の王として君臨していたことを認め、始祖スサノオから最後の王オオクニヌシまで七代に及ぶ出雲王朝の歴史を詳しく記している（ちなみに吉良義風の『上記鈔訳』ではスサノオの称号は「親王」、それ以降の出雲王朝歴代の称号は「王」となっている）。

さらに重要なのは、ウガヤフキアエズ朝の記録である。ウガヤフキアエズは記紀神話では、ニニギの子で山幸彦とも呼ばれたヒコホホデミと、海神の娘トヨタマヒメの間に生まれた子である。ウガヤフキアエズは長じてから神武天皇の父になったとされる。

いわばヒコホホデミまでの神々の世代と神武以降の人間の世代との間で系譜上の橋

渡しとなった神である。その「ウガヤフキアエズ」が『上記』では、72代（神武を数えれば73代）に及ぶ皇統で襲名された一種の称号とされているのである。

また、その72代において、第54代から第68代までの15代分は記録の欠落があるが、現存箇所についてだけでも、第7代、第8代、第9代、第10代、第14代、第17代、第18代、第31代、第32代、第33代、第35代、第40代、第42代、第47代、第50代、第67代と16人もの女帝が即位したことが記されている（『上記鈔訳』では女帝について「媛天皇」という称号を用いている）。

古史古伝のウガヤフキアエズ朝の元ネタは『上記』

さて、いわゆる古史古伝で、ウガヤフキアエズを襲名された一種の称号と見なすのは、『上記』だけではない。

『富士宮下文書』のダイジェストの『神皇紀』では神武の前に「宇家潤不二合須世」51代があったとされる。これはウガヤフキアエズに『富士宮下文書』で聖なる山とされる不二山（富士山）を合わせた語呂合わせめいた呼称だろう。

また、『竹内文書』で神武に先行するとされた「不合朝」72代についても、初代は「武鵜草葺不合身光天津日嗣天日天皇」、つまり記紀などのウガヤフキアエズに相当する存在であるとされている。「不合」というのは初代の名の「武鵜草葺不合」の略称だから、その名で呼ばれる王統は、結局はウガヤフキアエズ朝の別伝ということになる。

その他、やはり古史古伝の一つとされる『九鬼文書』にも「鵜茅葺不合天皇」73代という記述がある。ただし、そこには具体的な系譜は記されていない（三浦一郎『九鬼文書の研究』１９４１）。『九鬼文書』については拙著『偽書が描いた日本の超古代史』（２０１８）、『天皇即位と超古代史』（２０１９）を参照されたい。

さらに１９７７年には吾郷清彦が『上記』『富士宮下文書』『竹内文書』のいずれとも異なるウガヤフキアエズ朝73代の系譜を記した『神伝上代天皇記』という写本を発見したという報告を行った。その成立年代は不詳だが、かつての所蔵者が入れたと思われる「明治二十五年」紀年の注記が入っている（吾郷清彦「上代天皇紀解－今ひとつのウガヤ朝史」『日本神学』３３４号、１９７７年1月）。

１９８０年代までの古史古伝研究者の間では、これら複数の古史古伝がウガヤフキアエズ朝の存在を伝えているということは、それらの伝承が指し示す共通の事実、すなわち何らかの古代王朝の実在があったという解釈が主流だった。つまりは、それらの古史古伝は、それぞれがお互いに他の古史古伝のウガヤフキアエズ朝伝承の傍証となっていると考えたわけである。

　ところで72代の王朝は概ねどのくらいの年数を経ているものだろうか。たとえば今上天皇は第１２６代だから、その72代前の第54代といえば公式の皇統譜では仁明天皇（在位８３３〜８５０）、今から12世紀も前の御世である。『日本書紀』での神武即位が前６６０年だから、ウガヤフキアエズ朝伝承が言うように神武の72代前とすると、前６６０年より12世紀前となって紀元前19世紀頃になる。日本の考古学的年代では縄文時代後期に当たる。

　ウガヤフキアエズ朝をどのように解するかについては、日本列島に実在した縄文人の王朝だったという説（林信二郎『縄文文化と弥生大革命』１９７０年、林房雄『神武天皇実在論』１９７１年、他）、日本の皇室の起源を日本列島外に求めた上で、日本列島渡来前にいた場所（メソポタミアや古代朝鮮など）での皇室の先祖の系譜を日本列島内に置き換えて記したという説（鹿島昇『倭と王朝』１９７８年、他）、近畿の王権（現在の皇室の祖先）と並行して、７世紀頃まで存在していた九州王朝の系譜を皇室の系譜の前に接合したという説（佐瀬仁「倭琴の初期年代に関する『上記』『古代史文献』に基づく一史論」『国立音楽大学紀要』14号、１９８０年、他）など、さまざまな考え方が提示されてきた。

　ところが１９９３年、それらの議論を前提からくつがえす論文が発表された。それが藤野七穂「『上記鈔訳』と〝古史古伝〟の派生関係」（『別冊歴史読本「古史古伝」論争』１９９３年８月）である。

藤野七穂氏はまず『上記鈔訳』のウガヤフキアエズ朝記事と『竹内文書』の不合朝記事の系譜を比較した。その両者から称号を外して名前だけで比較すると、その表記までほぼ一致したのである。

たとえば第2代はともに「軽島彦（かるしまひこ）」、第3代はともに「真白玉真輝彦（ましらたままかかひこ）」という具合である。この一致は72代を通してのものである。ただし『上記鈔訳』には、底本とした宗像本自体で欠けている第54代から第68代までの欠落があるのに対し、『竹内文書』ではその箇所の歴代についての記事もある。

そのため『上記』のウガヤフキアエズ朝の欠落は『竹内文書』で補うことができるという説もあった（たとえば吾郷清彦『ウエツフミ要録』下巻、1974年）。

しかし、『上記鈔訳』が豊国文字で書かれた原文からの訳文であり、その中の神名・人物名の漢字表記が吉良義風によって考案されたものである以上、『竹内文書』の表記が『上記鈔訳』と一致しているということは、『竹内文書』の方が『上記鈔訳』を引き写したとしか考えられない。『竹内文書』における不合朝第54〜第68代の記事は『上記鈔訳』での欠落を埋める形で、おそらくは竹内巨麿によって創作されたものと思われる。

藤野七穂氏はまた『九鬼文書の研究』で用いられた『九鬼文書』は、『竹内文書』と共通の用語があることから、その中のウガヤフキアエズ朝に関する記述も、『竹内文書』経由で『上記鈔訳』の影響下にあると見なす。

藤野氏はさらに『富士宮下文書』についても、『上記鈔訳』の文章をそのまま引き写した箇所があること、『神皇紀』の「宇家潤不二合須世」51代系譜には女帝が含まれていないが、『富士宮下文書』の原本では「宇家潤不二合須世」は「神后王摂政」（実質的な女王）も併せて72代とする記述があることなどを指摘し、やはり『上記鈔訳』の影響を受けていたことは間違いないとした。

すなわち**『上記』以外の「古史古伝」のウガヤフキアエズ朝関連記事はすべて『上記鈔訳』を介して『上記』に基づいて作られたもの**と推定できるのである。

藤野七穂氏の論文では『神伝上代天皇記』は取り上げられていないが、藤野氏は後の論文で、『神伝上代天皇記』は写本というよりは草稿で、注記は本文の著者と同じ人物が添削のために書き込んだものとみられること、その注記に『上記鈔訳』から引用した文があることなどから、そのウガヤフキアエズ朝記事も『上記鈔訳』に基づくものだったと推定している（藤野七穂「偽史源流考」⑧『歴史読本』２０００年８月号、「偽史源流考」⑮『歴史読本』２００１年３月号）。

こうして藤野七穂氏により、現在知られているウガヤフキアエズ朝に関する「伝承」はすべて『上記』に起源することが明らかにされた。つまり今後はウガヤフキアエズ朝に関する研究は『上記』を中心としてなされるべきだ、ということになったのである。

さて、『上記』ではウガヤフキアエズ朝歴代の仙洞（退位後の上皇が過ごす住居）や御陵（墓）の所在に関する記述がある。第71～73代は後述の大和遷都のため、関連史跡とされるものの多くが近畿にあるので除外するとして、それ以前の歴代は第15代（仙洞・御陵とも伊予国久万山、元愛媛県久万高原町とされる）を例外として、いずれも大分県・宮崎県・熊本県にまたがる九州中央山地に仙洞や御陵があったとされている。

『上記』に基づいて考える限り、ウガヤフキアエズ朝は九州中央山地を主な勢力圏としていた王朝だった、もしくは九州中央山地を主な勢力圏として設定された架空の王朝だった、ということになる。

天皇一行をエサシまで導いた巨大な亀はＵＦＯだった？

２０２０年、新型コロナウイルスによる肺炎の世界的流行の最中、日本で「アマビエ」という予言獣（近い将来の災厄を予言するという伝説的な生き物）が大いに話題となった。

アマビエは弘化3年（１８４６）４月という紀年が入った瓦版（江戸時代の日本で事件の話題を扱った冊子の形をとらない無許可の印刷物）に登場する、鳥とも魚ともつかない姿の予言獣だ。アマビエは夜、光を放ちながら肥後（現・熊本県）の海に現れ、その出現

「アマビエ（アマビヱ）の図」（部分、京都大学附属図書館蔵）

以降6年間の豊作と疫病の流行を予言した上で自分の姿を絵に写して多くの人に見せよと告げたという（湯本豪一『地方発明治妖怪ニュース』2001年、湯本豪一『日本幻獣図説』2005年）。

アマビエが自分の絵姿を広めるよう告げた目的は、それを見た人は予言された疫病を避けるという効能があったからと思われる。第1章で、『旧約聖書』「出エジプト記」において、エジプトが災厄に見舞われた時に、神の選民たるユダヤ人は災厄除けの印を家につけるよう神が命じて難を逃れたという話を取り上げたが、アマビエの絵姿には、その神の印を思わせるものがある。

2004年、川崎市市民ミュージアムでの企画展において、アマビエを三次元化したフィギュアが発売されたことが話題となった。また、テレビアニメ『ゲゲゲの鬼太郎』第5期（2007～2009、全100話）ではアマビエが第26話から準レギュラーとなっていた。

江戸時代後期から明治期にかけて、瓦版や新聞にアマビコ（「天日子」「尼彦」「海彦」

「天彦」などと表記）と呼ばれる三本足の予言獣や、その派生と思われるもの（「アリエ」「山童」など）が海から現れて豊作や疫病を告げていくという記事が頻発していた。アマビエもアマビコの派生形の一つと思われる（アマビコの「コ」が「ヱ」に誤表記されたか）。

２０２０年のアマビエ流行は予言獣としてではなく疫病除けという意義が強調されたもので、3月頃から多くのイラストレーターやフィギュア造形師が、思い思いのアマビエを形にするという「アマビエチャレンジ」に参加した。4月9日には厚生労働省の公式twitterまでが新型コロナウイルス感染防止のイメージ画像としてアマビエのイラストをアップしていた。

さて、『上記』にも、予言獣ではないが、海から現れて人々を病から救ったものの出現が語られている。ウガヤフキアエズ朝第10代天皇チタラシヒメ（千足媛）は病弱で、政務は夫のシキサワノヲ任せにしていた。ある日、天皇とその夫が宮殿で庭の花を愛でている時、ホニツル（タンチョウヅル）が舞い降りて、人の言葉で、自分は天の神の使者であり、病弱な天皇を助けるために来たのだと告げた。

シキサワノヲは我が子である皇太子を背負い、妻である天皇の手を引いてホニツルの案内で、児湯の港（現・宮崎県日向市美々津町）に至った。するとその海から巨大な亀が現れた。天皇一行は亀の背に乗って大海原を渡り、エミノクニ（北海道）のエサシ（現・北海道檜山郡江差町）に着いた。

天皇一行は冠に礼服の老翁（ろうおう）に迎えられ、身体を壮健にするための薬湯の処方や、民を健康にして穏やかに国を治めるための心構え（病のもとになる悪神をお祓いで防ぎ、体調が乱れないように身を慎む方法）などを教わったという。

第10代天皇はその教えによって長寿を保ち、その後を継いだウガヤフキアエズ朝第11代天皇マガキルツルギヒコ（禍断剣彦）は臣下に命じて、その翁（おきな）の教えを人々に広めた。その翁はイザナギ・イザナミの最初の御子であるヒルコだったという。

ちなみに兵庫県西宮市の西宮神社の祭神で、福の神としての「えびす様」（「戎」「夷」）はヒルコと同じ神とされているので、『上記』でのヒルコの描写は、その説を採用して、福の神としてヒルコを描くとともに、福の神としての「夷」を蝦夷地といわれた北海道と関連づけて、その所在地を定めたものだろう。

『上記鈔訳』では、このエピソードは「天皇皇太子弥幸男共ニ東国ニ行幸シテ北海道ノ江刺ノスハマ門ヨリ江差山ノ蛭子尊ノ神社ニ臨幸ス」（注記　一部略、大意は「天皇・皇太子・天皇の夫の3人は東に旅して北海道の江差でヒルコを祭る神社に参拝した」）とだけ簡潔に記されており、鶴の案内や大亀の出現は語られていない。

このエピソードに関心を抱いた人物に、イラストレーターの横尾忠則氏がいる。横尾氏は作曲家の芥川也寸志（やすし）（1925〜1989）やSF作家の小松左京（1931〜2011）との対談で、このエピソードに触れ、大きな亀というのはUFOのことで、古代の天皇は宇宙人とコンタクトしていたと楽しそうに語っている（『芥川也寸志対話集　人はさまざま歩く道もさまざま』１９７８年、「宇宙人は人類の祖先⁉小松左京vs横尾忠則」『別冊いんなあとりっぷ　世界の九不思議』１９７５年７月）。

ただし、横尾忠則氏は正確な出典を覚えておられなかったらしく、芥川との対談では「古事記だったか日本書紀だったかの中」、小松との対談では「日本書紀のなか」に出てくる記述としてその内容を語っている。横尾氏は、小松との対談では「抜粋しか読んでいない」と言っているので、あるいは当時のＵＦＯ関連雑誌・同人誌の中に『上記』のこの記述を取り上げたものがあり、それを横尾氏がたまたま目にしたものかもしれない。

皇室の血統が異国に残るのを止めるために地震が起こされた？

『上記』にはウガヤフキアエズ朝第15代と第71代の御世に大地震があったと記されている。

第15代ウスキネヒコ（『上記鈔訳』では「臼杵」）の御世の地震は、日本に押し寄せてきたミカラ（三韓、朝鮮半島の三つの国）の軍勢を撃退した直後に起きたとされている。

『上記』のウガヤフキアエズ朝は、オルシ（ロシアのことか）、カラシナ（中国のことか）、シラヒト（新羅＝朝鮮のことか）など、さまざまな外敵に繰り返し攻め込まれては、それを撃退してきたとされている。

ミカラの軍勢はシラキ（新羅）・コマ（高句麗）・クダラ（百済）の連合軍で、総指揮はシラキの王サイテニキがとり、さらにカラシナからの援軍まで得ていたという。

天皇は皇族将軍のイナヰを派遣して対馬で敵を迎え撃ち、さらに朝鮮半島にまで追撃してサイテニキとカラシナの将軍を捕らえ、コマ王とクダラ王を降伏させた。

釈放されたシラキ王サイテニキとコマ王、クダラ王、カラシナからの使者は、戦後処理のためにウガヤフキアエズ朝の天皇が都する高千穂宮（現・宮崎県西臼杵郡高千穂町？）を訪れ、ミカラの新たな王として皇族を派遣するよう天皇に乞うた。

天皇はイナヰを朝鮮半島に派遣しようとしたが、イナヰを乗せた御輿（貴人を乗せて人が担ぐ乗り物）が速日国（肥前国？）の山にさしかかった時、雷のような轟音が山中にとどろいた。すると山々は揺れて木々は倒れ、岩は転がり、地面は裂け震えるという事態となった。

イナヰ一行が輿を止め、引き返そうとすると、地震はたちまち収まった。高千穂宮に帰ったイナヰが天皇に報告をしたところ、天皇はその地震を神の仕業と考え、神意を改めて問うために太占（占い）の儀式を行った。

すると国照大神（スサノオ）ご自身が姿を現し、皇族であるイナヰがミカラの王となることで皇室の血統が異国に残ることは望ましくないので地震を起こして止めたのだ、と告げた。その神託により、イナヰの海外渡航は中止された。天皇は臣下の中から代理を選び、イナヰの代わりに朝鮮半島に派遣したという。

　ここでは地震は、神意に背いた決定がなされたことに対する警告として起こされたことになっている。

　さて、815年に編纂された氏族名鑑『新撰姓氏録（しんせんしょうじろく）』には、京都にいた新羅系渡来氏族の新良貴（しらき）氏が、ウガヤフキアエズの子・稲飯命（いないのみこと）の子孫で、稲飯命は新羅国王の祖でもあったとして、皇別（こうべつ）（皇室から分かれた氏族）に分類されている。『新撰姓氏録』では通常、渡来系氏族は蕃別（ばんべつ）（外国人の子孫）とされているから、新良貴氏の扱いは例外的なものである。

　記紀ではイナヰ（『日本書紀』では稲飯命、『古事記』では稲氷命と表記）はウガヤフキアエズの子で神武天皇の兄だったが、神武東征の際に海に入って行方不明になったとされている（『日本書紀』ではサイモチの神、すなわちサメになったともいう）。

　新良貴氏は自分たちの祖先が新羅王だというだけでは日本では他の渡来系氏族と同様、良い家柄と認められないと考え、行方不明になったイナヰを新羅王の祖先だったと主張し、その子孫である自分たちも日本の皇族から出たと強弁して、朝廷に報告したものだろう（そしてそれが『新撰姓氏録』にも採用された）。

『上記』ではそれを踏まえた上で、新羅王の祖先がイナヰだというのは、神武の兄とは別にウガヤフキアエズ朝の皇族としてのイナヰだったという話を作り、さらにそのイナヰの海外渡航も中止された、すなわち任地には派遣されなかったとすることで、新羅王の祖先が日本の皇族だというのも結局は誤認にすぎない、という結論に導いたものであろう。

『上記』の筆者は、日本の皇族が異国の王になったという話自体を快く思っていなかったのである。この話の中で、地震まで起こして皇族の朝鮮半島行きを止めたスサノオは、『上記』の筆者のいわば代弁者であったといえよう。

第71代の御世の大地震がウガヤフキアエズ朝を崩壊させたか

第71代アマテルクニテルヒコモモカヒウスキ（『上記鈔訳』では天照国照彦百日臼杵）の御世に生じたとされる大地震と、それに続く一連の事件は、ウガヤフキアエズ朝自体の終焉（しゅうえん）につながるものだった。

戦前に昭和維新のスローガンを掲げてオカルト雑誌『神乃日本（の）』（後に『神日本』と改題）を創刊した社会運動家・太古史研究家で、天津教（『竹内文書』を聖典とする教団）

弾圧事件や、神政竜神会(しんせいりゅうじんかい)弾圧事件で被告側の弁護人も務めた中里義美(よしみ)（1892～1975）は、『上記』におけるウガヤフキアエズ朝第71代の記事をまとめた『神武維新』（1972年）という著書を残している。ここでは中里の著書を参考にしつつ大地震以降の顛末を論じていこう。

　ウガヤフキアエズ朝第71代即位68年の6月、日本列島の国土が小さな島々まで含め、10数日にわたって大いに揺れた。そのため、山も島も崩れ、裂けた大地からは黒い泥が吹き上がった。同じ年の8月、吹き荒れる大風が石つぶてを飛ばし、稲の穂は白く枯れて米がとれることはなかった。

　さらに年が明けて翌年の春には麦が黒雲をなしたかのような害虫の群れに襲われ、病害で穂が黒くなって、やはり収穫できなかった。

　天皇は太占で神に対策を求めたところ、民を飢えさせてはならないから急いで食料を与えるようにとの託宣が得られた。天皇は、民が苦しむようなら、（民は為政者にとって仕えるべき主も同然だから）自分が罪を背負うことになると言って救援に全力を注いだ。

　天皇は皇族や臣(おみ)たちを派遣して人々に食べられる野草や山菜の取り方や調理法を教えて回らせた。さらに自ら船団を率いて国々を巡り、国守(こくしゅ)・島守(とうしゅ)（地方長官）に対し、倉を開けて貯えていた食料を民に分け与えるように命じた。

中里義美は次のように述べる。

〈関東大地震、三陸地方の大地震海嘯、濃尾の大地震も、大地震ではあったけれども、僅か一日間に過ぎなかった。しかしそれでさえも、その被害は頗る甚大で凄惨至極のものであって、当時の人心を驚愕せしめたものである。ところが上記に伝えるこの大地震は十有余日にわたり毎日連続して起ったというのであるから、全くもって想像を絶するものであったろう〉（中里義美『神武維新』前掲）

ちなみに「関東大地震」とは大正２年（１９２３）９月１日に起きて10万以上もの人命を奪った関東大震災、「濃尾（のうび）の大地震」は明治24年（１８９１）10月28日に現・岐阜県本巣（もとす）市もしくは岐阜市を震源として７０００人以上の死者を出した濃尾地震、「三陸地方の大地震」は明治29年（１８９６）６月15日に現・岩手県釜石市の沖合を震源に２万人以上の死者を出した明治三陸地震のことである。

「海嘯（かいしょう）」とは川の河口から潮が逆流する現象だが、この場合は明治三陸地震で北海道から宮城県にかけての海岸部を襲った津波を意味している。

死者・行方不明者合わせた人的被害において濃尾地震は阪神淡路大震災（１９９５年）、明治三陸地震は東日本大震災（２０１１年）に匹敵する規模だった。そして、中里義美は、ウガヤフキアエズ朝第71代の御世の地震はそれ以上の災害だったと考えたわけである。

また、稲の穂が白くなって枯れるのは台風の直後のフェーン現象（空気が温められて吹いた風が山を越える際に水分を失い、渇いた熱風となって地面に吹き付ける現象）によって生じることが多い。さらに、麦の穂が黒くなるのはカビの一種が麦に感染して起こる黒穂（くろほ）病という病害で見られる現象である。『上記』の作者は、農家で実際に恐れられている災厄をよく知っている人物だったのだろう。

さて、この地震の8年前、シラヒト（新羅）の王ユグドブブルは密かに日本を訪れ、ムロのミキ港（現・三重県尾鷲（おわせ）市三木浦町）から上陸して大和のハセダキ（国主）ナガスネヒコに面会し、国を奪うようそそのかした。ナガスネヒコもその気になり、自分が新たな天皇になろうとして、大和の豪族たちを味方につけていた。

第71代天皇の皇子イツセ（五瀬）が民を飢餓から救うために大和に入ろうとした時、ナガスネヒコとユグドブブルは兵を伏せて、イツセを騙し討ちしようとした。いったんは難を逃れたイツセも、敵の領地内での戦闘に分がなく戦死してしまった（前述のように、ナガスネヒコは大和のハセダキ＝国主である）。

イツセの弟ヒタカサヌ（日高佐野、記紀の神武天皇）は丹波（現・京都市北部）で民を助けていたが、イツセのいまわの際にその陣地へと早馬で駆け付け、兄の遺骸を葬ると新たに陣を構えた。

イッセとナガスネヒコの戦闘とイッセの戦死の記事は記紀にもあるが、記紀においてはイッセの側が侵入者で、ナガスネヒコは自衛のために戦ったように記されている。『上記』では、大和はもともとウガヤフキアエズ朝の領土内だったとして、ナガスネヒコの方を反乱者（しかも外国の勢力を導き入れた売国奴）として描いたわけである。

ヒタカサヌとナガスネヒコの戦いは近畿地方の広域で展開されたが、ヒタカサヌの軍は海戦でシラヒト軍の軍船をことごとく沈め、ナガスネヒコを自決に追い込んだ。その間、ウガヤフキアエズ朝の拠点である九州でも珍事があった。ナガスネヒコとの戦いに備えて皇族たちが駐留していたナオイリの宮（現・大分県竹田市直入町）に、前線で戦っているはずのヒタカサヌの長男タギシミミ（手研耳）がいきなり帰ってきたのである。

その直後、タギシミミの母であるアビラツヒメが行方不明となり、ただわずかばかりの髪の毛と手の指が残っていた。タギシミミはヒタカサヌの后の寝所に近づこうとするなど不審な行動を重ねたので、弟たちは相談して魔物の正体を現すための呪文を兄に対して用いることにした。

タギシミミはその呪文を聞くや苦しみ出し、ついに正体を現した。それは大きさが牛ほどもあるノマ（野猫、年を経た猫が化けるという魔物）だった。

ヒタカサヌの皇子たちは、タギシミミの母・アビラツヒメが妖怪に食い殺されたことを知り、協力してノマを追いつめ退治した。

ナガスネヒコを滅ぼした後に九州に帰った本物のタギシミミは、実母の死を悲しみ、医者となって人々を救う道を選んだという。ノマが退治された山はネコ山と呼ばれた（現・熊本県阿蘇郡高森町にある根子岳（ねこだけ）の地名由来説話）。

タギシミミが弟たちに殺されたことは記紀も伝えている。記紀ではその動機としてタギシミミが権勢をほしいままにして弟たちを殺そうとしたため、弟たちが自衛したとしている。

古代史研究家の古田武彦は、この説話の史実性を認めた上で、タギシミミは父・神武の君主位を正当に相続していただけで、弟たちの側がクーデターを起こして兄を殺害したと論じた（古田武彦『盗まれた神話』１９７５年）。

古田武彦の想定からすると、記紀は弟たち（その中には神武を継いだ綏靖天皇もいる）の兄殺しを正当化するために彼らが自衛したと書いたことになる。だが、『上記』では、殺されたタギシミミを妖怪が化けた偽物とすることで、そもそも兄殺しそのものがなかったとしたわけである。

おそらく元の伝承は記紀の方だったのだろうが、近世の道徳では兄殺しは大罪となるため、『上記』では妖怪譚を交える形での改竄を行ったのだろう。

第71代天皇はイッセはじめ多くの人が戦死したことを嘆き、すでに死んでいるイツセに皇位を譲った上で、皇族のタカクラジにイツセに代わって国を治めるよう命じた。そのため、イツセは名目上のウガヤフキアエズ朝第72代に数えられる（記紀ではタカクラジは皇族ではなく神武を助けた熊野の豪族として登場する）。

ウガヤフキアエズ朝第72代の治世が5年続いた後にヒタカサヌが第73代として即位した。ウガヤフキアエズ朝第73代天皇即位に列席した皇族たちの中で、第70代天皇の皇女が神がかりして、国の中心の地に遷都するようにとの託宣を得た。そのため、新たな皇居が、かつてナガスネヒコがいた大和の地に建てられた。この遷都にともなってウガヤフキアエズという号の世襲は中止された。

大和に遷都した年の夏は暑く、クソモリヤモイ（便を下す病気、すなわち赤痢の意味）にかかって多くの人が死んだ。天皇は熱さと病を避ける方法として、大きな太鼓を打ち鳴らし、サセの木（シャシャンボ、ツツジ科の常緑樹）の枝を頭にかざし、老若男女問わず手を打って歌い踊ることを奨励した。

これは盆踊りの起源説話だろう。中里義美は、夏に歌い踊る意義が忘れられてから仏教徒が盂蘭盆会（父母や祖先の霊を供養する仏教の行事）に付会したと主張した（中里義美『神武維新』前掲）。

だが、実際には、『上記』の作者が、盆踊りを仏教の日本渡来より前からの行事だとこじつけるために疫病除けという解釈を作り出したものだろう。中里義美ら『上記』信奉者からすれば、記紀が記すところの神武東征は、ナガスネヒコ討伐戦争とその後の大和遷都を皇室そのものの発祥と誤解して記したものということになるわけである。

『上記』のウガヤフキアエズ朝第71〜73代の記事は、天変地異に外国と内通しての大規模な内乱、妖怪の跳梁（ちょうりょう）に疫病発生と国難の連続である。

ウガヤフキアエズ朝第15代の地震記事における太占は、地震の原因（地震を起こした神の怒りの理由）を問うものであった。だが、第71代の地震での太占は民を救うことの必要性を示すものであり、そこでは地震が起きた理由は語られない。

第71代での地震は、起きた原因を詮索するのも無意味なほどの本物の天災として描かれている。天災とはまさに人知で把握できるような原因なくして生じるものなのである。その意味では、第71代での地震の描き方は第15代での描き方よりも現実に近いものといえよう。

『上記』のウガヤフキアエズ朝には、第15代でのミカラ・カラシナ連合軍侵攻のように他にも外国からの侵略の記事は多いが、そのいずれもがあっさりと撃退されている。異国の勢力が、国内の反乱勢力と共謀して国を乱したというのは第71代の記事が初めてである。

『上記』にはウガヤフキアエズ朝の天皇や皇子、臣が地方を巡りながら、大蛇や大蜘蛛、大猿、怪鳥などの怪異を退治したという記事が頻発しているが、妖怪が宮中にまで入って暴れたというのはタギシミミに化けたノマが初めてである。

小さなトラブルこそあれ、国全体としては泰平で、第10代の説話に示されているように人に加護を与える神と天皇との関係が近く、一種の理想郷として描かれていたウガヤフキアエズ朝——それが一気に崩壊に向かうのが第71代の御世だったといえよう。

それはあたかも異国と日本、神と人、妖怪と人との関係がこの時期に一気に変わったかのようである。そして、大地震はその変化の始まりとしてここに語られたものであろう。

なお、中里義美はノマについて、「南国九州には古くから猫騒動があったことは、頗る有名である。鍋島猫騒動や有馬猫騒動が、即ちそれである」（『神武維新』）として、九州のウガヤフキアエズ朝も同様の怪異が出てもおかしくないと示唆する。

鍋島猫騒動は元禄年間（1688〜1704）の頃に佐賀（現・佐賀県佐賀市）に城を構えた肥前領主・鍋島家で起きたとされる化け猫事件、有馬猫騒動は天明年間（1781〜1789）の頃、久留米（現・福岡県久留米市）領主・有馬家で起きたとされる化け猫事件で、どちらも歌舞伎や講談、後には映画の題材としてしばしば取り上げられた。

中里義美にとっては、猫騒動の話はノマのような猫の怪異が実在しうるという傍証になっている。しかし、その考え方は現実とは順番が逆だろう。実際には、『上記』におけるタギシミミのノマ事件は、これら九州での猫騒動の話をモデルに作られたフィクションだと思われる。

偽史の連鎖があって、『上記』も組み込まれた

『上記』自体に語られているわけではないが、『上記』の成立に大きく影を落としているとみられる天変地異の伝承がある。それは瓜生島(うりゅうじま)沈没だ。

記紀ではウガヤフキアエズの母トヨタマヒメと、叔母で後にウガヤフキアエズと結ばれ神武天皇を産むタマヨリヒメは海神ワダツミの娘だったとされている。『上記』ではウガヤフキアエズの父ホホデミは「ウリウノオハマ」から船出してワダツミの国に至ったという。『上記』はさらにウガヤフキアエズ朝初期においても、ウリウの港が朝廷の門戸として利用されていたことを記している。

『上記鈔訳』で吉良義風は「ウリウノオハマ」は瓜生島という島だったとして、「慶長元年ノ震災に全島海ニ沈ムと云(いう)」と注記している。ちなみに吉良はワダツミの国を現・徳島県徳島市とその周囲の島々に当てている。慶長元年(1596)は文禄5年(1596)が10月末に改元した年号である。

豊後府内藩士・阿部淡斎（１８１３〜１８８０）が天保年間（１８３０〜１８４４）に編纂した『雉城雑誌』など、豊後（現・大分県）で江戸時代後期にできた複数の地誌に、かつて瓜生島という良港に恵まれた島が別府湾にあったと記されている。

つまり、吉良義風はホホデミの海神国行きを別府湾上の島から発して東の対岸の徳島県に渡る航路だと考えたわけである。

瓜生島は沖の浜とも呼ばれ、海上交通の要衝として栄えていた。その大きさや正確な位置については諸説あるが、『雉城雑誌』によると南北36丁（約４キロ）、東西21丁（約２・３キロ）もの大きな島だった。ところが、文禄５年閏７月12日の大地震とそれにともなう津波で島全体が海に呑まれ、７００人以上の死者を出したという。生き残った者は移住先を沖の浜町と名付けた（現・大分県大分市浜町方面）。

堀川町（現・大分県大分市都町周辺）で豪邸を構え、「堀川の酢屋」といえば大分で知らぬ人はなかったという名家・幸松家は、もともとは瓜生島の庄屋の家柄だったという。そして、幸松葉枝尺はこの元瓜生島庄屋・幸松家の分家を称していたのである。

ところが、瓜生島の実在を証明するような古い記録はいっさい存在しないのである。

戦国武将・大友義鎮（宗麟、１５３０〜１５８７）の頃の豊後に「沖の浜」という良港があったことは国内史料ばかりでなく、弘治元年（１５５５）に豊後入りした明使・鄭舜功の『日本一鑑』に「烏気法邁」（日本語「おきはま」の当て字）、「澳浜」（日本語での漢字表記「沖浜」の書き換え）、ポルトガル人と宗麟との交渉を記したポルトガル語史料に「オキノハマ」「アキノファマ」などと記されていることからも間違いない。

文禄5年＝慶長元年の豊後で大地震があって「沖の浜」という港が壊滅したことは、ルイス・フロイス（1532〜1597）がローマのイエズス会総長に書き送った報告書や『津山家世譜（せいふ）』『中山史料集』『柴山勘兵衛記』など大分県内での記録がそろって証言するところである。

ところが同時代史料で見る限り、「沖の浜」が島だったとはどこにも書かれていない。それどころか「沖の浜」と豊後府内の間は馬で行き来していたという記述さえある。

現・大分市内から馬に乗って往来できるところが孤島のはずはない。そして、「瓜生島」という名前自体、そうした古い記録には存在しないのである。

今のところ、「沖の浜」が島であり、その島の名は「瓜生島」であったとする最古の記録は元禄11年（1698）に豊後府内沖の浜町在住の郷土史家・戸倉貞則（さだのり）（1650年頃〜1720年頃）が著したとされる『豊府聞書（ほうふききがき）』と、その異本と思われる『豊府紀聞』である。沖の浜町在住ということは戸倉の祖先は壊滅した「沖の浜」からの移住者だったと思われる。

つまり「瓜生島」は実在の「沖の浜」が崩壊して100年もたってから突然、沈んだ島として現れたのである。瓜生島沈没伝説を日本のアトランティスと評する人もいるが、実在の怪しさという点ではまさに先述のアトランティスと対比されるだろう。

なお、大分県には幸松という姓の人は珍しくないが、その多くは「コウマツ」と読む。それに対し、元瓜生島庄屋という幸松家は「ユキマツ」である。そして幸松葉枝尺については「サキマツハエサカ」という自署名が残っている。

また、幸松葉枝尺の屋号は塩屋で、彼は本家の屋号も塩屋だったと主張していたが、先述の通り、元瓜生島庄屋という幸松家の屋号は酢屋である。名字の読みも屋号も違うとなると、元瓜生島庄屋・幸松家の分家だという幸松葉枝尺の主張は怪しいと言わざるをえない（原田実「偽史列伝『上記』と瓜生島沈没伝説」『季刊邪馬台国』75号、2002年2月）。

なお、『豊府聞書』について従来は全文が現存しておらず、成立も元禄12年だったという説が有力だった。だが、最近の研究で全文の写本の存在が明らかにされ、成立も元禄12年ではなく11年だったことが判明した（日名子健二・松崎伸一・平井義人「慶長豊後地震と豊府紀聞・豊府聞書」第31回歴史地震研究会　名古屋大会講演・2014年9月20～22日）。

さて、偽史ウォッチャーの中村和裕氏は『上記』の伝来過程について綿密に考証し、いわゆる「宗像本」の原本とされるものにしても、「大友本」にしても、宗像家や大友家に古くから伝わっていたわけではないこと、幸松葉枝尺は単なる書写者ではなく、本文に加筆を続けていたことなどを明らかにした（中村和裕「『上津文』の出現と流布について」『大分縣地方史』142・144・145号、1991年6月・1992年1月・1992年3月。中村和裕「明治七年大分県の『上津文』献呈始末─幸松本の政府献呈をめぐって─」『九州史学』102号、1991年10月、中村和裕「大友本『上津文』の〝発見〟と流布について──複数出現説と原書の流転をめぐって」『ピラミッドの友』12号別冊、1996年6月）。

古代史研究家の田中勝也（1937～2015）は『偽書考』（1980）、『上記研究』（1988）などの著書で、『上記』の実証的研究に先鞭をつけた人物だった。田中は『上記』本文に、平田篤胤（1776～1843）が記紀などの古典から編集した『古史成文』と共通の記述があることを明らかにした（田中勝也『註釈 上紀』前掲）。

その田中の門下だったHP「解読　上紀」管理人・吉森建氏は、田中勝也と中村和裕氏の研究を受けて、『上記』と『古史成文』の共通箇所は『上記』の方が『古史成文』から引き写しており、したがって『上記』は平田の影響なしには書けない書物であったこと、時期的に考えて『上記』そのものの作者は幸松葉枝尺以外に考えられないことを明らかにした（吉森健「春藤倚松大友本で見えてきた偽書ウエツフミの作者」『臼杵史談』104号、2014年2月、吉森健「補論・偽書ウエツフミの作者　幸松葉枝尺と大友本」『臼杵史談』106号、2016年5月）。

先述のように『上記』では「ウリウノオハマ」すなわち瓜生島は、ホホデミの御世およびウガヤフキアエズ朝の初期における海上交通の拠点として登場している。私は『上記』の「ウリウノオハマ」の記述は次のような経緯でできあがったものではないかと思う。

1、「沖の浜」出身者の子孫である戸倉貞則が、先祖の豊後府内移住の次第を劇的にするために瓜生島沈没という物語を作る。
2、豊後府内の豪商だった幸松家の系譜を飾るために瓜生島沈没伝説が利用され、先祖は瓜生島の庄屋だったという話が作られる。
3、幸松葉枝尺が名家である幸松家との血縁関係を主張し、自ら偽作した『上記』に幸松家ゆかりの瓜生島に関する記述を紛れ込ませる。

つまりは瓜生島をめぐって、戸倉貞則――幸松家の系譜作成者――幸松葉枝尺と、偽史が種となって新たな偽史が生まれるという偽史の連鎖があって『上記』もそこに組み込まれていたということになる。

さらにその『上記』のウガヤフキアエズ朝系譜を取り込む形で『竹内文書』『富士宮下文書』などが成立したとすれば、偽史の連鎖が枝分かれして後の古史古伝の隆盛を築いたことになるわけで、興味深い展開だったといえよう。

災害から読み解く『竹内文書』

天変地異を多く描いた『竹内文書』

「古史古伝」といえば、遥かな太古の歴史を中心に叙述する文献というイメージがあるが、その中には古代人の予言という形で未来に起きる災厄について記したものもある。その代表例が『竹内文書』である。

『竹内文書』は、数百億年も前までさかのぼるという長大な神々の系譜が出ていたり、モーゼ・釈迦・孔子・キリスト・マホメットなど世界の聖賢が日本に留学していたという話や、ピラミッドの発祥は日本だった、太古天皇は天空浮舟（あめのうきふね）という空飛ぶ乗り物に乗って世界各地を巡行し、地球以外の天体と思われる「天日国（あめひのくに）」「日球国（ひだま）」にまで往来していた……など荒唐無稽な記録が多く、「古史古伝」ファンの間でも特に人気が高い文献である。

『竹内文書』の代表的テキストである『神代（しんだい）の万国史』（竹内義宮編、増補版1987年）では太古史を、記紀神話より前の世界ともいうべき天神七代、記紀神話の主だった神々を歴代に含む上古二十五代、神々の時代と神武以降の人皇をつなぐ時代ともいうべき不合朝七十三代、神武天皇に始まり現在の皇室へと続く神倭朝に大別する。

そして、『竹内文書』には太古の世界が繰り返し天変地異に見舞われたという記述がある。『神代の万国史』から、その記述をいくつか挙げてみよう。

〈天皇の御世に、天下とこよ国全部土の海となる事八十四度カヒラクシ〉（上古第二代・造化気万男身光天皇に関する記述だが、記紀神話に該当の神はなし。後の日本列島も外国も国土が壊落して全世界が泥の海に沈むほどの災害が84回も起きたという意味）

なお、この上古第二代の御世に、人類はアジア広域の黄人、インドやアフリカの黒人、中東や両米大陸、太平洋の島々の赤人、東南アジアや南アフリカの青人、ヨーロッパの白人という五つの人種（五色人）に分かれたという。

〈日球の国に登り、地球万国土の海とかえらくす。木に餅がなる。万国人全部死す〉（上古第十四代・国之常立身光天津日嗣天日天皇に関する記述で、記紀神話の原初神クニトコタチに当たる。天皇が「日球の国」という場所に脱出してから地球のすべての陸地が壊落して、地上に残っていた全人類が死んだ。また、樹木に木の実ではなく餅がなるという異変が

起きた）

〈天下万国土海とかへらくす。木に餅がなる。五色人（いついろひと）全滅し、神帰り〉（上古第十七代・角織身光天津日嗣天日天皇に関する記述で、記紀神話で原初の植物の神と思われるツヌグイに当たる。すべての国土が壊落して泥に沈み、人類がみな滅んで神に祭られ、樹木に餅がなるという異変が起きたという意味）

〈万国大変動、土海（どろのうみ）とかゆらくす。木に餅がなる。天日天皇、日球国登り、地球定まりて天降る〉（上古第十八代・大斗能地王身光天津日嗣天日天皇に関する記述で、記紀で原初の集落の守り神と思われるオオトノヂに当たる。大地震とともに大地も海も壊落して、樹木に餅がなる異変が生じた。天皇は日球国に脱出し、異変が静まってから地球に帰ったという意味）。

『竹内文書』ではこの種の記述は枚挙にいとまがない。ちなみに『竹内文書』には陰陽五行説（万物を木・火・土・金・水の五元素と陰陽二元の関係で説明する世界観）に基づく占いの技法が伝わっていたことを『竹内文書』の初期の研究者である吉田兼吉（けんきち）（1877〜1948）が書き残している（吉田兼吉『竹内文献考証』1985年）。

五色人説は、陰陽五行説でいうところの五行と色の対応（木＝青、火＝赤、土＝黄、金＝白、水＝黒）に、近代人類学での皮膚の色による人種分類を接合して作り出したものらしい。

ミヨイとタミアライはムー大陸説をもとに作られた

『神代の万国史』によると、不合朝第十代・千足姫（ちたるひめ）天皇の御世に起きた天変地異は地球上の大陸の形まで変わるほどの規模だった。

〈地球万国大変動起こり、土の海となり、大木、小木に餅が出来る。図の国なくなりて、海の底に落む。嗚呼オトロシヒエ地変ぞ、この時、インド洋中より大陸陥す。詔して万国地図御作成あり〉（地球的規模の変動で陸地が沈み、木々に餅がなる異変が生じた。恐ろしい大地変動でインド洋にあった大陸をはじめ、それまでの世界地図に描かれていた多くの国土が沈んだままになった。天皇は新たな世界地図を作るように臣たちに命じた）

『神代の万国史』には、千足姫天皇の詔によって作られたという地図も掲載されている。それによると、天変地異によって沈んだという主な陸地は次の４つである。

1、インド洋にあったとされる無名の大陸
2、日本列島の東南にあったとされる大陸タミアライ国
3、太平洋の真中にあったとされる大陸ミヨイ国
4、中米東部、現在のユカタン半島周辺にあったとされる陸地

もっとも、これら失われた陸地に関する記述については『竹内文書』でも版本ごとの異動が大きく、中にはミヨイ・タミアライに関する記述がまったくないものもある。しかし、昭和9年（1934）に木村錦州（きんしゅう）という人物が発行した『大日本神皇記』という刊本に収められた太古地図には、ミヨイ・タミアライという名前こそまだないが、太平洋上の二つの大陸とインド洋上の大陸の存在が明記されている。

また、青森県戸来（へらい）村（現・新郷（しんごう）村）の「キリストの墓」発見の立役者となった画家・鳥谷幡山（とやばんざん）（1876～1966）の著書『神国日本と再顕せるキリスト』（1940年）には、2万年前まで日本海に「古志」という大きな島があったこと、5万年前まで太平洋の真中に「三保」という大陸があったが、これが5万年前に沈んで「マヤ」と「タミアライ」という二つの陸地になったこと、などが記されている。

『竹内文書』は戦時中の弾圧で失われた箇所があるとされているが、それらの断片か

らは、戦前の文書において、すでに失われた陸地関連の記述があった（そして弾圧の過程で消失した）ことがうかがえる（大内義郷『神代秘史資料集成』１９８４年）。

さて、いわゆる「失われた大陸」として超古代史ファンの間で特に人気が高いのは、すでに本書でも触れたアトランティスとムー、そしてレムリアである。

レムリアはもともと英国の動物学者フィリップ・スクレーター（１８２９〜１９１３）が提唱した仮想上の大陸である。出土する化石や現存種の分布から、アフリカ大陸東南のマダガスカルとインドには類似した生物相があったことが推定できる。

フィリップ・スクレーターは、この事実を説明するために、インド洋にかつてこれらの地域を結ぶ広大な大陸があったという仮説を立てたのである。もっとも、この事実は大陸移動説でも説明できる（つまり、マダガスカルとインド亜大陸は同じ大陸の隣接した地域だったのが、大陸分裂後に現在の位置まで移動したとすればよい）。大陸移動の事実が証明された現在、自然科学の世界ではレムリアの存在は否定されている。しかし、オカルトの世界ではレムリアはアトランティス、ムーと並ぶ謎の古代大陸として今も命脈を保っているのである。

スコットランド出身の作家ルイス・スペンス（１８７４〜１９５５）はレムリアをインド洋の陸橋としてではなく、インド洋と太平洋にまたがる大陸と太平洋にあった古代大陸の複合ととらえ、チャーチワードの言うムーと同じものであると見なした（ルイス・スペンス著、浜洋訳『幻のレムリア大陸』邦訳1968年)。

これらの「失われた大陸」と『竹内文書』の失われた陸地の記事を関連づけるために、さまざまな試みがなされてきた。すでに昭和9年の時点で、神道家の木村錦州が編集した『竹内文書』の天変地異記事の註として「英国学者チャーチワード博士の卓見」による「ムー国ミュー大陸の陥没」について言及されている(木村錦州『大日本神皇記』1934年、復刻版2009年)。

戦後においても、それらの関係については、たとえばミヨイ・タミアライをそれぞれムーとアトランティスにあてる説(佐治芳彦『謎の竹内文書』1979年、山田久延彦『真説古事記』1979年)、ミヨイ・タミアライをスペンスのいうレムリアの二つの陸地にあてる説(佐治芳彦『謎の神代文字』1979年、小泉源太郎『ムー大陸の謎を解く』1985年)、インド洋の大陸をレムリア、ミヨイをムー、タミアライをアトランティスにあてる説(高坂和導(こうさかわどう)『超図解・竹内文書』1995年、ただし高坂はタミアライがアトランティスである可能性を示唆しながら断定するには史料不足とする)などが提出されている。

しかし失われた陸地に関する記述がある初期の『竹内文書』刊本(『大日本神皇記』1934年)で、すでにチャーチワードのムー大陸説に関する言及があるということは、失われた陸地に関する記述自体がムー大陸説など欧米から移入された「失われた大陸」説の影響で生じた可能性を疑わせるに十分である。ちなみにチャーチワードが

『失われた大陸ムー』を著したのは昭和6年（1931）だが、その翌年の昭和7年には『サンデー毎日』などでムー大陸説を取り上げた記事が出ていた。

ミヨイ・タミアライはムー大陸説を参考に、「万国土の海になる」という天変地異の被害を強調するために、沈んだまま回復しなかった陸地もあるとして作られた話と見てよいだろう。

「木になる餅」はマナか

『竹内文書』における太古の災厄記事では、しばしば「木に餅がなる」という異変について言及されている。1980年代の超古代史ブームを牽引した論客で、古代史評論家の佐治芳彦（よしひこ）は、これについて「異常放射能が生物の遺伝子に与えた影響と大凶作」で植物が餅のような形になったと解し、超古代文明が核戦争で滅びたという説の傍証とした（佐治芳彦『謎の竹内文書』前掲）。

しかし、戦前の『竹内文書』研究者で「日本のピラミッド」（広島県）、「モーゼの墓」（石川県）発見者として知られる酒井勝軍（さかいかつとき）（1874～1940）は著書『神代秘史百話』（1930年）で、ユダヤ民族がモーゼに率いられてエジプトを出て、荒野をさまよっていた際に、天から降ってきたマナという不思議な食物で飢えをしのいだという故事を引き、天変地異で苦しむ人々が木になった餅で飢えをしのいだとすれば、その餅はマナと同様、神からの贈り物「天佑神助」だったのだろう、と論じている。

酒井勝軍は、ユダヤ民族の出エジプトも、『竹内文書』の天変地異も、過去に起きた事実だと信じていたのだが、その両者の類似性への着目自体は間違っていないだろう。

民俗学者の宮田登（1936～2000）は弥勒仏（大乗仏教で遥かな未来にこの世界に生まれ、釈迦が救い残した衆生を救済するとされる仏）信仰から派生した「ミロクの世」という理想郷に関する伝承を収集していたが、その例として次のようなものがあったという。
○山梨県西八代郡上九一色村（現・甲府市・河口湖町）の故老の証言「みろくの世では、誰も働くことを知らないで木の枝などに一ぱいに実った果実が、自然に落ちるのを待って拾って、食べているのだ」
○群馬県吾妻郡中之条町では、正月の飾りなどを丁寧に飾りつけたりすると、まるでミロクサンのようだ、という。
○宮城県刈田郡蔵王町遠刈田では、小正月（1月15日）にダンゴの木（団子で木の実がなったように飾り付けた木）を飾り、それをミロクの世のようだと感じる。

○青森県三戸郡五戸町では1月14日に作る団子を「ミロク団子」という。
○福島県伊達郡霊山村大石（現・伊達市霊山町大石）では1月14日に作る団子の由来について次のように伝える。「昔、ミロクの世に飢饉があって、喰うものに困った時、たまたま山へ行くと山の木に団子がついていたので、それを食べて飢饉をのがれた。それを記念して、毎年この日に団子を木にさして供えるのである」

宮田登は、これらの伝承から、弥勒（ミロク）の出現によって米に代わる食べ物が人々に与えられるという観念から、飢饉の年に、弥勒が出現して、人々に食べ物を与えて救済してくれるという意識が生じ、それが、過去の飢饉がミロクの世になることによって救われたという伝承に展開したのだろうと論じている（宮田登『ミロク信仰の研究』1975年）。

『竹内文書』で木になったという餅も、日本の土俗化したミロク信仰における木になった団子と同様、飢饉への救済という意義を有するものだったのだろう（米を練って作ることでは餅も団子も同じである）。ちなみに戦後の『竹内文書』信奉者の代表的人物だった高坂和導（高坂勝巳、高坂剋魅とも号す。1947〜2002）も、東北・北陸地方のお正月飾りに小さく丸めた紅白の餅を木につけたものは欠かせないとして、それが天変地異の中、古代人類に食べ物を与えて救済した神への感謝を伝えたものだと論じている（高坂和導『超図解・竹内文書』前掲）。

実際には「木に餅がなる」という記述は、餅（団子）を正月飾りに用いる習俗や、それを飢饉の記憶と結びつける伝承などから生じたものだろう。それはまた、『竹内文書』を生んだ想像力が、日本の土俗的な世界観と結びついていることを示すものである。

では、『竹内文書』を世に出したのはいかなる人物だったのだろうか。

竹内巨麿と酒井勝軍と鳥谷幡山

『竹内文書』は天津教（現・皇祖皇太神宮、茨城県北茨城市磯原町）という新興宗教の教典であった。その教祖・竹内巨麿（１８７５?～１９６５）は生まれてすぐに富山県婦負郡久郷（現・富山市久郷）の竹内家に養子に出され、岩次郎と名付けられた。

岩次郎の実父は貧しい木挽き職人（山から切り出した丸太を材木にする仕事）だったとされる。しかし、竹内巨麿自身の主張では、庭田重胤伯爵（１８２１～１８７３）の庶子だったが、実母が自害に追いやられ、身を隠す必要があって竹内家に預けられたのだという。

さらに竹内巨麿の身の上話によると、岩次郎は祖父・竹内三郎右衛門から、かつて南朝の忠臣だったという竹内家の系図や庭田大納言の実子であることを示す証拠としての天国（あまくに）（日本刀作刀の祖とされる伝説的刀工）の銘刀などを引き継いだ後、祖父の死を契機に東京に出たという。明治25年（1892）のことである。

岩次郎は東京では口入屋（くちいれや）（人材派遣業）に身を置き、神道や武術を研鑽した。その後、彼は実母の仇（かたき）を探しながらの武者修行の旅に出た。その途中に立ち寄った京都の鞍馬山（くらまやま）では、2回、計3年に及ぶ参籠（さんろう）で、神々から直々に兵法を伝授されたという。

やがて実母の仇がすでに死んでいたことを知った岩次郎は、茨城県の磯原に腰を落ち着け、名を巨麿と改めて、明治43年（1910）に天津教を開教したのである。

開教当時の天津教は、諸国遍歴の剣豪による武術・兵法伝授を柱としたものだった。すでに文明開化という言葉さえ古びてきたような明治末期には時代錯誤の感さえある。

天津教では昭和初期になってから宝物（ほうもつ）の開陳も始めたが、それも当初は南朝関係の古文書や宝物と称するものが中心だった。ところが、竹内巨麿が訪問客相手に「古文書」や「御神宝（ごしんぽう）」を出し続けるうちに、日蓮上人（1222～1282）の文書や、神代のスサノオが使った剣など南朝関連よりもさらに古い時代とされるものが混ざるようになっていった。その過程において、当初は巨麿が鞍馬山で神から授かったと称していた兵法書も、竹内家代々の「古文書」の中に組み込まれていった。

そして、「古文書」や「御神宝」の年代が古くなっていくとともに、竹内家の由来もさかのぼっていく。神倭朝第26代（『日本書紀』では第25代）・武烈天皇（在位499～506）は皇室と敵対する勢力による歴史改竄から、真実の歴史を守るため、忠臣・武内宿禰の後裔である平群真鳥に宮中の記録を含む御神宝を託し、表向きは誅殺したということにして越中の皇祖皇太神宮に逃がした。

皇祖皇太神宮は人類発祥の場に建てられた神殿で、神代には日本のみならず世界の中心だったという。平群真鳥の子孫は武内宿禰にちなんだ竹内姓を名乗って皇祖皇太神宮の神官を務めた。しかし、皇祖皇太神宮は次第に衰微し、宝永7年（1710）、神通川の洪水により、ついに跡形もなく消えてしまった。

ただ、残った宝物は代々の竹内家当主に守られ、三郎右衛門から竹内巨麿に受け継がれたのだという。天津教は単なる新興宗教ではなく、神代以来の宗廟（皇室の祖を祀る社）だった皇祖皇太神宮が、富山県から茨城県に場所を移して再建したものだったというわけである。

その天津教に昭和4年頃から先述の酒井勝軍という人物が通い始める。酒井は日本における讃美歌の普及に従事していたキリスト教伝道者だが、一方でユダヤ陰謀論と、日本＝ユダヤ同祖論の信奉者であった。また、ユダヤ人が世界征服の陰謀を巡らすことは日本を除く既成の国家の解体と再編成をもたらし、結果として大日本帝国による世界統一につながるという奇妙な歴史観を持っていた。

酒井勝軍はまた、昭和2年（1927）に、日本陸軍による中東視察に同行し、独自の研究の結果、エジプトのピラミッドよりも古い世界最古のピラミッドが日本にあること、モーゼが神から授かった十戒にはユダヤ人のための十戒（「出エジプト記」に記された十戒）の他に、ユダヤ人以外の人々のために与えられた裏十戒があることなどの結論を得ていた。

帰国した酒井勝軍は、天津教に珍しい宝物があるとの噂を聞いて磯原に赴き、竹内巨麿に、竹内家の神宝に自分が探し求めるものはないか、問い合わせてみた。

その成果は上々だった。酒井勝軍の話を聞いた竹内巨麿は、モーゼの裏十戒を刻んだという石やその内容を補完する「古文書」、酒井がモーゼから日本民族に託された宝玉（ほうぎょく）と見なしていたオニッキス（縞瑪瑙（しまめのう））などがぞくぞくと出てきたのである。

その「古文書」によってモーゼの本名（?）は「モーセロミュラス」であり、彼が古代ユダヤの預言者であるばかりではなく、古代ローマの伝説的な建国者ロミラスとも同一人物であることが明らかになったという。ちなみに酒井勝軍が竹内巨麿から見せられて宝玉オニッキスだと断定した石は、もともとは天津教で火切り（火打石から出る火花でその場を清める儀礼）に用いられていた火打石だった（酒井勝軍『三千年間日本に秘蔵せられたるモーゼの裏十誡』1931年）。

竹内家の宝物から見つかったというモーゼの裏十戒は、日本の神への拝礼と天皇への忠誠を勧める内容だった。それは神代文字（漢字伝来以前の日本にあったとされる表音文字）により日本語で書かれていたが、酒井勝軍は、十戒そのものが日本で作られたものだから、ヘブライ語ではなく日本語で書かれていてもおかしくはないと主張した。

酒井勝軍はまた、広島で奇妙な山があると聞き、昭和9年（1934）、広島県

葦嶽山（広島県庄原市、2009年撮影）

庄原郡（現・庄原市）の葦嶽山に登って、その山が世界最古のピラミッドであり、エジプトのピラミッドの原型であることを確認したという。例によって、酒井から竹内巨麿がピラミッド発見の報告を聞くと、竹内家の「古文書」の中から太古の天皇がそのピラミッドを造営したという記録が出てきた（酒井勝軍『太古日本のピラミッド』1934年）。

その酒井勝軍の葦嶽山調査に同行していた人物には、高名な日本画家で、中国などへの外遊経験もある鳥谷幡山がいた。青森県出身で十和田湖の風景を好んで描いていた鳥谷は、十和田湖畔の青森県戸来村（現・新郷村）の村長から、

村興しのための相談を受けていた。

鳥谷幡山は、戸来山にもピラミッドがあるのではないかと考え、それを確認するために竹内巨麿の招待を村に提案した。昭和10年（１９３５）、竹内巨麿は鳥谷や村長らの案内で戸来村を巡るうちに地元の人が「ミコのアト」と呼んでいる塚のところで足を止めた。なにやら考えにふけっていた。

磯原に帰った竹内巨麿はキリストの遺言状なるものを公表し、若き日のイエス・キリストが皇祖皇太神宮で神道を学んだこと、十字架上での死を装って再来日したキリストが戸来村でその生涯を終えたことを明らかにしたのである（鳥谷幡山『十和田湖を中心に神代史蹟たる霊山聖地の発見と竹内古文献実証踏査に就て併せて猶太聖者イエスキリストの天国［アマツクニ］たる吾邦に渡来隠棲の事蹟を述ぶ』１９３６年）。

「ミコのアト」はもともと南朝に関わる皇子の墓の伝承地だったと思われる。しかし、「キリストの遺言状」登場で、その墓は神の御子としてのキリストの墓ということになり、戸来村への観光客誘致の目玉になったのである。「キリストの墓」は現在もなお新郷村の重要な（あるいは唯一の）観光資源である。

また、竹内家の宝物にあった「天国」の銘刀は、キリスト教の天国と結びつけられ、キリストが天皇から授かった守り刀だったということになった。婦人参政権運動のかたわら『竹内文書』とキリストの墓の宣伝に努めた山根キク（山根菊子、１８９３～１９

キリストの墓（2014年撮影）

６５）によると、「天国」銘は天皇自らが打った刀であることを意味するという（山根キク『キリストは日本で死んでいる』１９５８年）。

竹内巨麿は、酒井勝軍や鳥谷幡山のような海外の知識がある人物のリクエストに応えていくうちに、彼らの影響を受け、その想像力を世界規模に膨らませていったのだろう。

なお、彼らの影響を受ける前からの『竹内文書』についていうと、南朝関連文書については碩学・狩野亨吉（１８６５～１９４２）の論文「天津教古文書の批判」（『思想』昭和11年6月号所収）により偽作であることが完膚なきまでに暴かれている。

なにしろ「後醍醐天皇御真筆」「長慶天皇御真筆」の筆跡が同じだというだけでも十分、眉唾物である。真筆とは本人が書いたものという意味だから、別人の名前による「御真筆」の筆跡が同じということは、誰かが素性を偽って、その両方を書いたということになる。

また、昭和5年頃に天津教を取り上げた新聞記事には、宝物には「天国」の他にも左文字（南北朝時代の刀工）・光忠（鎌倉時代の刀工）・粟田口久國（鎌倉時代の刀工）の銘刀や、神籬（神霊を招き寄せる依り代）と称する瓶などもあるとされているが、それらはいずれも出来上がってから文字を彫りこんだものがあると報じられている。刀や陶器の文字は通常、作る過程で入れられるものだから、銘を後から彫りこんでいたというのは、まず、おおかたは贋作ということになる（現代霊学研究会編『神代秘史資料集成　人の巻』1984年）。

『竹内文書』の予言とキリストの「遺言状」

さて、『竹内文書』におけるキリストの遺言状こと「イスキリスクリスマス遺言」は、漢字とカタカナで書かれた日本語の文章である。その中ではキリストは「イスキリス王五日イミカエリテ再立ス（死を装ったキリストは五日後に蘇ったと称してまた現れた）」という風に「イスキリス」という称号（?）で呼ばれたり、「汝ガ弟イスキリ汝ニカハリテ三十三歳死ス（キリストの弟イスキリがキリストの身代わりに三十三歳で死んだ）」という風に「汝」という二人称で呼びかけられたりしている。さらにはキリスト自身の葬儀に関する記述まである。

したがって「イスキリスクリスマス遺言」は、キリストの遺言状と通称されているが、実際にはキリストの一人称による遺言というわけではない。その記述者としては武雄心親王（『日本書紀』によると武内宿禰の父）の署名がある。

「イスキリスクリスマス遺言」によると、垂仁天皇29年（『日本書紀』によれば西暦紀元前1年）、キリストは弟イスキリ（聖書には登場しない）を身代わりに十字架の難を逃れ、陸奥国八戸（現・青森県八戸市）に上陸、イスキリの頭髪と耳を戸来村の十代塚に葬った。キリストは来日永住してから66年目に自らの像を造って皇祖皇太神宮に奉納した。その後、キリスト自身も景行天皇11年（『日本書紀』によれば西暦81年）にこの世を去り、戸来村で葬られたという。

キリストは日本に旅立つ時、ユダヤの地に残る弟子たちに次のように告げたという。

〈五色人ヨフ今ヨリ先ノ代千九百三十五年ヨリ天下土海トミダレ統一ノ天皇天国ニアル〉（世界の人々よ、これから1935年後に天下が泥の海のように乱れるが、その時、世界を統一する天皇は天国すなわち日本に現れる／傍点は引用者による）

また、キリストの像が皇祖皇太神宮に納められる時、景行天皇は、皇祖皇太神宮の神官だった武雄心親王を介してキリストに次のような詔勅を下した。景行天皇9年のことだという。

〈イスキリス万国五色人ヨウ此太神宮へ納祭ル汝ガ造リ像オ汝祭思ヒヨフ今ヨリ先ノ代必ズ千九百三十五年ヨリ汝ガ像霊再生出顕ル代ナルゾ汝ガ名統来訪神太郎天空ト云フ〉（キリストと全世界の人々に告げる。キリストが自分の像を造り祭ったことにより１９３５年後にキリストの霊は神として再生するだろう。その神名を統来訪神太郎天空とする／傍点は引用者による）

「イスキリスクリスマス遺言」には、キリストが自分の像を皇祖皇太神宮に奉納した時期として来日66年目（西暦換算65年）と景行天皇９年（西暦換算79年）という二つの年次が記されていることになる（右頁の傍線参照）。その１９３５年後はそれぞれ２０００年と２０１４年である。鳥谷幡山は昭和11年の著書で、この像のことと思われるキリストの御神体のスケッチを残しているので、この像がキリストの墓発見（昭和10年）と同時期に天津教から出てきたものと思われる。

「像霊再生出顕ル代」として想定されているのはキリストの御神体の出現だとすれば、その実際の時期は２０００年でも２０１４年でもなく１９３５年（昭和10年）だったことになる。

さて、キリスト自身の予言とされるものと景行の詔勅とされるものには同じ「1935年」という年数が出てくる（122〜123頁、傍点参照）。

これは「イスキリスクリスマス遺言」の作者すなわち竹内巨麿が、天津教にとって日本でキリストの墓を発見した年という重要な意義がある「1935年」という年次を、文脈を考えずに機械的に書き込んでしまったものと見なすべきだろう。そのため、もともと矛盾があったキリストの像奉納の時期と、キリストの御神体出現の時期との間にさらなる矛盾が生じてしまった。

つまりは、御神体出現まで1935年という起点が、「イスキリスクリスマス遺言」の本文において、ただでさえ西暦65年と西暦79年が並列されていたのに、実際の歴史から逆算すると西暦1935年から1935年前、つまりは西暦元年頃という第3の時期まで出てきて収拾がつかなくなっているのである。

西暦1935年は昭和10年、すなわち竹内巨麿らが「キリストの墓」を「発見」した年である。巨麿は「キリストの墓」発見を、キリストが霊的に蘇る証であるとともに世界的災厄とその後の日本天皇による世界統一への予兆と見なしていたのではないか。

当時の日本のメディアでは「1935・36年危機論」というものが取り沙汰されていた。日本はアメリカ・イギリス・フランス・イタリアとともにワシントン海軍軍縮条約に参加し、海軍保有の艦船数の制限や千島・沖縄・台湾・南洋などの島嶼部の要塞化の禁止に従っていた。だが、領土拡張を求める日本とそれに反対する欧米諸国との対立が激化し、ついに１９３４年に条約破棄を他の参加国に通告した。

当時の日本では、この条約破棄は列強からの不当な圧力に抗するためであり、日本は１９３５～36年頃に生じるであろう列強との外交的・軍事的衝突に備えなければならない、との世論が生じていたのである（たとえば廣田重太『国際の危機！　日本はどうなる？　一九三五～六年の認識』１９３４年、など）。

実際、１９３５年に開催された第二次ロンドン海軍軍縮会議では日本は調印せず、さらに同じ年には日本の国際連盟脱退も生じている。

「イスキリスクリスマス遺言」にはその「１９３５・36年危機論」が反映しているものと思われる。そこに記されたキリストの予言なるものは、日本がその危機を乗り切り、最終的な勝利を得ることで世界に統一がもたらされるという、虫のいいビジョンを示すものだった。

さて、酒井勝軍が竹内巨麿から見せられたというモーゼ関連文書には、次のような「モーゼの遺言」がある。

〈五色人ヨ、必ズ後代ニモオゼノ十誡法宝五枚石宝三千年後ニ発見スル時アル、万国ノ五色人祖神棟梁皇祖皇太神宮ノ神主ニ左腿胯ニ地球型の図紋アル人、五色人ヲ統一スル神主ナリ、必ズソモクト死スルゾ、マケルゾ、ツウレルゾ、必ズソムクナ〉（世界の人々よ、三千年後にモーゼの十戒を刻んだ石が新たに発見され、左足の太ももに世界地図のような図がある神官が全人類の祖を祭る皇祖皇太神宮に現れる時、その神官は人類を統一するだろう。その神官に逆らうものは必ず敗れ、潰され、死することになるだろうから、逆らってはならない）

これとよく似た文面は、やはり『竹内文書』で不合朝第59代の天地明玉主照天皇（あめつちあかたまぬしてらす）が発したという「世界再統一の御神勅」にも見ることができる。

「世界再統一の御神勅」によると、それが発せられた時から6365年後の未来、さまざまな国家に分割されていた世界は「天国天皇」と彼を助ける「神人大統領大申政神主」の下、神代の世界国家と同様に再統一を遂げることになる。その「神人大統領大申政神主」は皇祖皇太神宮に現れる「左の股に万国地図以て生まる」神官だという。その神勅は次のように締めくくられる。

〈天皇と神主に必ずソムクナヨ、ソモクト天罰殺すぞ、死ぬるぞ、ツブレルゾ、ナヤムゾ、万苦にアフゾ〉（竹内義宮編『神代の万国史』増補版・1987年）

つまりは天国（日本）の天皇と「神人大統領大申政神主」に逆らった者は、天罰を受けて必ず死ぬか、死ぬほど悩まされ苦しめられることになるというわけである。それにしても「神人」であり「大統領」であり、大いに「申政（しんせい）」（律令制における政務手続き）を行う神主というのも気宇壮大な肩書である。

では、「モーゼの遺言」や「世界再統一の御神勅」で予言された世界を統一する神官とは誰のことか。実は、竹内巨麿の左足の太ももには、蒙古斑（もうこはん）の痕跡と思しき痣（アザ）があった。その形は世界地図に似ていたという。

つまり、これらの予言において、世界を統一する天皇には昭和天皇、それを助ける神官には巨磨その人が想定されていたというわけである。

「大宇宙史」に目覚めた元軍人・矢野祐太郎

『竹内文書』の予言的要素をさらに発展させて、天津教とは別に新たな教団を立ち上げた人物もいる。その筆頭に挙げられるべきは元軍人で神政竜神会（後に神政護持龍神会）教祖の矢野祐太郎（ゆうたろう）（1881〜1938、最終階級・海軍大佐）である。

矢野祐太郎は英国大使館付海軍武官、海軍兵学校教官などを歴任したこともある知性派の軍人だったが、諜報活動の一環として新興宗教の動向を調査するうちに予言の信奉者となってしまった。

海軍退役後の昭和4年（1929）には、矢野の妻に神がかりが始まり、そのお告げを解読することで彼自身、予言者としての道を歩みだす。

昭和5年、矢野祐太郎は酒井勝軍の紹介で天津教に出入りするようになり、昭和8年には天津教の外郭団体である神宝奉賛会を設立、さらに昭和9年には自分の教団である神政竜神会を立ち上げた。

矢野祐太郎は、宇宙の創成から近未来の世界の完成までを神の視点から読み解く「大宇宙史」の構想を有しており、それを具体化するに当たって『竹内文書』の歴史観を軸とした。

矢野祐太郎が昭和7年に著した『神示現示による宇宙剖判より神政成就に到る神界現界の推移変遷の概観　日本天皇の発祥　世界統理　統理放棄　統理復帰　神政復古の経緯』（通称『神霊正典』）によると、世界は神界・神霊界・現界の三重構造で、私たちが存在しているのは現界であり、現界で起きる事柄はより上位の階層で起きた事柄の投影であるという。したがって神界や神霊界で起きた事柄を神示によって知ることができれば、これから現界で起きることも予知できるというわけである。

『神霊正典』によると、昭和五年六月一日、神界では天の岩戸が開け、「みろくの世」が始まった。皇祖皇太神宮（『竹内文書』を伝えたとされる神社）の御神宝は「竜宮乙姫」の活動により皇室に納められる。

しかし、その頃には幽界（神霊界）の建替立直しで霊が現界に流れこんで霊的異常が多発する。また、天に異彩現れ、天変地妖が起こる。さらに、下級神霊の蠢動により、国際社会は混乱し、日本はその渦の中心となって大擾乱に見舞われる。

この混乱は日本対外国の戦争へと発展し、中国・アメリカは崩壊、イギリス・イタリアは没落と国際的な大転換が訪れる。しかし、日本では「裕仁天皇陛下」が「万国棟梁天職天津日嗣天皇」としての自覚に目覚め、また、国民の神霊的覚醒によって天皇の親政が実現し、やがては世界の万民も神霊的に目覚めていくというのである。その過程では、ユダヤ人が神の操縦によって大活躍するともいう。

『神霊正典』では太古史に関する記述はほぼ『竹内文書』を下敷きとしており、その意味では、『神霊正典』こそ、予言的要素をも含めた『竹内文書』の完成形といえなくもない。神宝奉賛会設立から神政竜神会立ち上げにいたる矢野祐太郎の行動は、天津教からすれば許しがたい分派活動だったのだが、矢野自身は、その行動は神意に基づくものだから、将来は天津教の方から神政竜神会に合流するだろうと考えていたようである。

矢野祐太郎は元宮中の女官で皇后の親族でもあった島津治子（島津ハル、1878〜

1970）の協力を得て、『神霊正典』の予言を直接、天皇に伝えるための工作を行っていた。だが、治子は神政竜神会とは別の、とある交霊会で「天皇は若くして崩御する」との霊示があったと吹聴したため、不敬罪で逮捕された。

この事件は当局に、治子が出入りしていた神政竜神会への弾圧の口実を与えることになった（後述）。

『竹内文書』と青年将校運動とオウム真理教

さて、天津教は、矢野祐太郎以外にも、軍人や元軍人の名士たちの人気を得ていた。昭和初期には、青年将校たちが「昭和維新」「国家改造」などのスローガンの下、政治運動を行おうとするいわゆる青年将校運動がさかんだった。

荒木貞夫

天津教の宝物を拝観するために磯原に赴いた軍人の中には、荒木貞夫（1877〜1966、最終階級・陸軍大将）、真崎甚三郎（まさきじんざぶろう）（1876〜1956、最終階級・陸軍大将）、秦真次（1879〜1950、最終階級・陸軍中将）、山本英輔（えいすけ）（1876〜1962、最終階級・海軍大将）など青年将校運動に影響を与えた軍部の重鎮たちもいた。

日本国民の思想的動向を監視し、検閲まで行っていた内務省警保局では、天津教の狂信的なまでの天皇中心主義と、青年将校運動が結びつくことを警戒していたらしい。

１９３６年（昭和11）２月13日、特別高等警察（特高、内務省警保局管轄で思想犯などを取り締まる組織）は、天津教本部に押し入り、竹内巨麿と茨城県・福島県内の信者の合計５名を検挙した。容疑は「神宮及神祠に対する不敬」（皇室の祖先を祭る伊勢神宮およびその他の神社の尊厳を侵した罪）であった。

具体的には、天津教の教団が神宝として信者や訪問者に閲覧させていた器物（古文書と称するものを含む）が、不敬を構成するものと見なされたのである。同年８月に水戸地方裁判所での予審（公判に先立つ訴訟手続き）を終える頃には、被疑者は15人にまで膨れ上がっていた。

総理在任時（1932～1934年）の斎藤実

一方、東京では、昭和11年2月16日、天津教検挙と呼応するかのように青年将校たちがクーデターを図った二・二六事件が勃発した。反乱軍は高橋是清（これきよ）大蔵大臣（１８５４～１９３６）や斎藤実（まこと）内大臣（１８５８～１９３６）らを暗殺、複数の官邸や陸軍省、警視庁などを占拠したが、ほどなく鎮圧された。

天津教への弾圧は、昭和19年（1944）12月1日、大審院による竹内巨麿への無罪判決で幕を下ろした。『竹内文書』はいうなれば天皇崇拝を強調する当時の皇国史観へのパロディであった。しかし、公判で、その荒唐無稽さを追及していけば、かえって皇国史観の側の荒唐無稽さをも指摘せざるをえなくなりかねない。大審院はそのように判断したものだろう。

天津教検挙とは別に昭和11年（1936）、神政竜神会も不敬罪容疑で、特高に検挙されている。こちらは宮中工作まで行っていたということで、当局も天津教より危険視していたのだろう。

取り調べは過酷を極め、矢野祐太郎は拷問の末、獄死している（原田実「矢野祐太郎の二・二六」『季刊邪馬台国』第62号・1997年6月、原田実「災厄後に実現する天皇の世界再統一」『別冊歴史読本特別増刊「予言されたハルマゲドン」』1995年7月、原田実『日本トンデモ人物伝』2009年）。

島津治子はいったん逮捕されたが精神鑑定の結果、心神喪失ということで不起訴処分となり、東京都立松沢病院の精神科に入院させられた。退院後はひっそりと後半生を過ごしたという。

エッセイストの種村季弘（すえひろ）（1933～2004）は、『竹内文書』と青年将校運動の思想的近似に注目した。種村は、いささか皮肉な口調で、戸来のキリストの墓は、隠れ昭和維新の記念物であると述べている。

〈気がかりなのは竹内文書初公開時の立会人のリストである。海軍大将有馬良橘、公爵一条実孝、陸軍中将築柴熊七、海軍中将堀内三郎、海軍少将横山正兼、宮内省事務官伊藤武雄、忠愛会長前田常蔵等が綺羅星のように並んでいる。昭和初年当時なら、この顔ぶれでクーデターを起すことも不可能でないことはないという直観が脳裡をかすめる〉

〈折から東北の農村恐慌は深刻化している。追いつめられた農村を背景に、辺境から怨みの西南に反旗を翻す機は熟した。あとは公認の皇統譜に対して贋または虚の超皇統譜を対置し、真贋虚実を転倒せしめれば策謀は図に当る〉

〈ちなみにイスキリの墓という十来塚を掘ってみたとして、さて何が出土するだろうか。もしかすると、磯部浅一の分骨が出てきたりするのではないか〉（種村季弘『贋物漫遊記』1983年）

ちなみに種村季弘が示した『竹内文書』初公開立会人リストというのは、昭和3年3月に磯原の天津教本部で御神宝を拝観した面々である。ノンフィクションライターの藤原明氏によると、この時に名士や軍人たちを呼び込む音頭取りとなった日本忠愛会会長の前田常蔵は大陸浪人くずれで「蒙古の大将」を自称した山師的人物だったという（藤原明『幻影の偽書『竹内文献』と竹内巨麿』２０２０年）。

また、磯部浅一（あさいち）（１９０５～１９３７）は二・二六事件の蜂起に参加し、投降から処刑までの間の獄中記を残した元陸軍一等主計である。

クーデター未遂といえば、１９９０年代にさまざまなテロ事件を起こしたオウム真理教についても、その目標として、クーデターによる政権奪取まで視野に入れていたという指摘がある（たとえば大田俊寛『オウム真理教の精神史』２０１１年）。そのオウム真理教教祖の麻原彰晃（１９５５～２０１８）は『富士宮下文書』など複数の古史古伝から影響を受けていたという。

特に、オウム真理教開教前後の麻原は『竹内文書』から強い影響を受けていた。麻原は『ムー』１９８５年11月号に「幻の超古代金属ヒヒイロカネは実在した⁉」という記事を「麻原彰晃」名義で発表しているが、その内容は明確に『竹内文書』の超古代文明復興を説くものであり、文中には酒井勝軍の未発表の予言なるものが「引用」されている。

〈●第２次世界大戦が勃発し、日本は負ける。しかし、戦後の経済回復は早く、高度成長期がくる。日本は世界一の工業国となる。

●ユダヤは絶えない民族で、いつかは自分たちの国を持つだろう。

●今世紀末、ハルマゲドンが起こる。生き残るのは、慈悲深い神仙民族（修行の結果、超能力を得た人）だ。指導者は日本から出現するが、今の天皇とは違う。

恐ろしいことに、すでに二つの予言は的中してしまっている〉（麻原彰晃「幻の超古代金属ヒヒイロカネは実在した⁉」）

この酒井勝軍の未発表予言なるものは麻原彰晃の創作だろう。彼は自分を新たなる指導者に、自分がこれから作ろうとしている教団（すなわちオウム真理教）を「神仙民族」にそれぞれ擬したものと思われる。

表題にもなっている「ヒヒイロカネ」は『竹内文書』に登場する謎の金属で、佐治芳彦ら複数の研究家がこれをプラトンのアトランティス物語に出てくるオレイカルコス（本書30頁参照）と類似したもの、もしくは同じものと見なしている（ヒヒイロカネの正体に関する考証は本書では割愛する）。

麻原彰晃はそのヒヒイロカネの実物を入手したと主張し、それを用いれば超能力増幅ができる、と称していた。しかし、彼が「ヒヒイロカネ」だと称したものは単なる鉄鉱石の一種だった。

〈ヒヒイロカネがもつ神秘のエネルギーは、想像以上に素晴らしいものだった。神代の日本人は、ヒヒイロカネによって超能力を得ていたのだ。ヒヒイロカネは、ここに正体を現し、甦ったのだと私は確信している〉（麻原彰晃「幻の超古代金属ヒヒイロカネは実在した⁉」）

麻原彰晃による「ヒヒイロカネ」（と称する鉄鉱石）配布は開教初期のオウム真理教において信者獲得の手段となった。

青年将校運動との近似にしろ、オウム真理教との関係にしろ、『竹内文書』はクーデターを求める者を惹きつけるような毒を秘めた文書だとはいえそうである。

「万国土の海」は水害に悩まされた巨麿自身の記憶の反映か

『竹内文書』には、すでに見てきたように、何度となく世界が「土の海となる」異変が起きたと記されている。また、「イスキリスクリスマス遺言」におけるキリストの予言でも、世界が統一される前夜にはいったん地上が土の海になるとされていた。

なぜ、『竹内文書』にはその表現が繰り返し出てくるのか。おそらく、それは竹内巨麿にとって単なる空想ではなく、彼自身が幾度も経験してきたことの反映だったのだろう。

竹内巨麿は、神通川流域のさほど裕福ではない家の出身だった。神通川は暴れ川で、大正年間に治水工事が幾度も行われる前には現・富山市内は幾度となく川の水に覆われ、街中をいかだで行き来することさえあった。その大正の治水工事のきっかけとなった大正３年（１９１４）の神通川の水害では、被害は死者54名、行方不明者60名、全半壊流失家屋３２８戸にのぼったという。

治水工事が進んでからも富山平野はいくども神通川の水害に襲われている。富山県立大学工学部教授の高橋剛一郎（ごういちろう）氏によると、１９２０（大正９）年には死者22名、床上浸水７９１戸、床下浸水８６０戸の災害が起こった。また１９５３（昭和28）年には死者６名、行方不明者２名、全半壊家屋47戸、浸水面積３８００haの被害が出たという（高橋剛一郎「とやまの土木――過去・現在・未来」『実業之富山』Web版）。

ましてや、治水が進む前の明治時代、子供の頃の竹内巨麿、いや岩次郎は幾度となく大地が水没して見渡す限り、水と泥に覆われるのを見てきたのではないか。まさに彼の視点からは「万国土の海」となっていたのである。

皇祖皇太神宮が神通川の水害で失われたという主張もまた、「万国土の海」と同様、水害に悩まされた彼の記憶の反映なのだろう。

『竹内文書』では、天変地異の記述が多数あるにもかかわらず、特定の災害が超古代文明にとって致命的な打撃になったという記述はない。『竹内文書』支持者で超古代文明の存在を信じる研究家は、超古代文明消滅の原因についてさまざまな仮説を主張している（たとえば不合朝末期の地震に関する記事の重視や、天皇の祖先は異星人だったが、その本隊が地球を去ったために宇宙文明からの援助を得られなくなったという憶測など）。しかし、それらはいずれも『竹内文書』の記述で直接裏付けられるものではない。

私としては『竹内文書』の語る超古代文明は最初から存在しなかったから、その焼失の事実もなかったという解釈をとりたい。

なお、青年将校運動において、彼らを過激な行動に駆り立てた理由は、飢饉や天災に苦しむ農民たちへの同情があった（青年将校たちが日頃、ともにいた兵士の多くはそうした貧農の家の出身だった）。竹内巨麿もまた、神通川の水害という天災に苦しむ農村の出身だったことを思えば、『竹内文書』に秘められた想像力が青年将校運動の方向性と一部重なっていたのも理解できそうである。

災厄から読み解く『富士宮下文書』

皇室の祖神と中国神話の神農を同一視

近年、日本を襲うかもしれない大規模災害として警戒されている事態の一つに富士山の噴火がある。その富士山噴火について、古代から中世にかけての詳しい記録を収めたと称する古史古伝がある。それが『富士宮下文書（みやしたもんじょ）』である（『宮下文書』『富士古文書』『徐福文書』などともいう）。

『富士宮下文書』は現・山梨県富士吉田市大明見（おおあすみ）の地にあった古代宗廟・阿祖山（あそやま）太神宮に伝わっていたと称される古文書・古記録の総称である。

『富士宮下文書』が語る歴史は次のような内容である。

日本を建国した神々の祖先は、当初、大陸で原始的な暮らしを営んでいた。彼らは火山から得た火と海の砂から得た塩で食べ物を調理すること、獣の皮や鳥の羽、木の葉などで衣服を作ること、土に穴を掘って住居にすることなどを知って次第に文明を築き始めた。

神々がまだ狩猟採集生活を行っていた（ただし文字はすでにあったという）天之世七代・三十万日（年換算ほぼ822か年）、農耕文化を形成していった天之御中世十五代・六十七万五千日（年換算ほぼ1850か年）を経て、天之御中世で最後の神に当たる高皇産霊神は自分の子供たちに、東の海上にある蓬萊山に渡って新たな国を興すよう命じた。この蓬萊山こそ富士山である。

また、高皇産霊神について、天之神農氏神という別名を伝え、草木を舐めて万病のための薬種を定めたとしているが、これは中国神話で医療の祖とされる太古の帝王・神農氏の事績と共通している。つまり、『富士宮下文書』では記紀神話で皇室の祖神の一柱とされるタカミムスビと中国神話の神農氏が同一視されているわけである。

高皇産霊神の第5皇子・国常立尊と第7皇子・国狭槌尊は蓬萊山に至り、その中央の山を高砂の不二山（富士山）、周囲の大原野を高天原と名付けた。兄神は越地の敵を討つために丹波の桑田宮（現・京都府亀岡市の桑田神社もしくは同じ市にある出雲大神宮）に移ってそこで崩じ、弟神は高天原の開墾を行った。彼らの治世から七代、十八万五千日を高天原世という。

高天原世第七代伊弉諾尊の皇女・天照大御神は父の皇位を受け継いだ（豊阿始原世初代）。天照大御神が建てた壮麗な古代都市は家基津と呼ばれた。

そして、その中心となった神殿を高天原宗廟天社大宮阿祖山太神宮という。弟の月夜見命（つきよみのみこと）と栄日子命もそれぞれの宮を建てて姉の治世を助けた。

高皇産霊神の曽孫・多加王（たかおう）が大陸から渡ってきて高天原を一時占拠するという動乱もあったが、大己貴命（おおなむち）と手力男命（たぢからお）の活躍で事なきを得た。

この時、高天原の神々が戦勝を記念して作った宝物が、後に皇位継承の証とされる三種の神器である。改心した多加王は祖佐男命（すさのお）の名を授けられ、出雲に追放された荒ぶる神々を監督するよう定められた。

豊阿始原世第3代の天日子火瓊々杵尊（ににぎのみこと）の世に、西の大陸から大軍が攻め寄せてきた。瓊々杵尊は主に筑紫、神后の木花咲耶媛（このはなさくやひめ）は南島（四国?）で戦った。その際、神后の軍を直接率いたのは作田毘古命（さくたひこ）（記紀のサルタビコ）だった。

神皇・神后は多くの将兵を失いながらも敵を退けたが、瓊々杵尊は神后が妊娠していることに気づき、本当に自分の子かといぶかしんだ。神后は疑われたことを恨み、三皇子を産んだ後に富士の火口に身を投じて死んでしまった。

残された皇子たちは作田毘古命により猿の乳で育てられた。その皇子の一人が後に皇位を継ぎ豊阿始原世第4代・日子火火出見尊（ひこほほでみ）となる。

神后は木花咲夜毘女尊と諡（おくりな）された（コノハナサクヤヒメは記紀神話のニニギの妻であるとともに浅間神社の祭神ともされる）。

戦争に備えた九州遷都と大地震による大和遷都

大陸からの敵の侵攻はその後も続き、神々は迅速な対応を迫られるようになった。そこで豊阿始原世第5代・日子波瀲武鵜茅葺不合尊（ひこなぎさたけうがやふきあえず）の御世に、都を筑紫の霧島山（きりしまやま）（宮崎県と鹿児島県の県境の連山）に遷すことになった。以来、富士の旧都を天都、筑紫の新都を神都という。

日子波瀲武鵜茅葺不合尊を初代として、九州の神都に発祥した新たな王朝を宇家潤不二合須世（うがやふじあわすのよ）という。この名には富士の天都と神都とを合わせるという意義が秘められていると解釈できる。

宇家潤不二合須世の神皇初代は阿蘇山に陸軍大本営、宇佐（現・大分県宇佐市）に海軍大本営を置き、それぞれに陸守総元帥と海防総元帥を任じた。また、日本列島各地の守護司頭長を定め、国防体制を整えた。さらに、天都をないがしろにしないために、神皇の即位は必ず富士の阿祖山太神宮で行うという制度も創設した。

だが、神皇第3代の阿蘇豊王尊（あそとよおう）の世には、早くも富士高天原復興を唱える反乱が起き、ついに家基津に立てこもる賊軍を皆殺しにするという惨事が生じている。

宇家潤不二合須世は51代（神后摂政の24代を合わせると75代）、２７４１年続いた（暦法が整えられたため、治世期間の単位が日から年に改められた）。

その期間の多くを占めるのは西の大陸からの侵攻への迎撃と、天都の動向への警戒である。特にその最後の17年間は日本全土を揺るがす大乱の鎮圧のために費やされた。それを称して闇黒（あんこく）の世という。

そのきっかけとなったのは全国各地で一斉に起きた大地震と暴風雨、それにともなう作物の不作だった。

神皇第51代・弥真都男王尊は国中を巡行して、豪農から食料を供出させ、その復興に努めた。しかし、その復興策に対して不満を抱いた皇族や豪農たちは、白木（しらき）国（新羅）の軍師を大勢招いて軍議を重ねた。そして中国・近畿地方で大規模な反乱を起こしたというわけである。

その対応には九州の神都の軍勢だけでなく、富士の天都に集められた東国の軍勢も動員された。激しい戦乱の中で、弥真都男（やまとお）王尊は陣中で病没、三人の皇子も戦死を遂げた。

その反乱を鎮圧し終えた後の紀元前６６０年2月11日、弥真都男王尊の第4皇子が大和で即位した。すなわち人皇初代・神武天皇である。

神武の即位では、阿祖山太神宮にある三品の大御宝（三種の神器）をいったん大和に運ばせ、即位式の後に富士に返した。こうして富士の天都以外でも即位式が行えるという前例ができたわけである。

神武は反乱鎮圧の功労賞を与える過程で日本諸国の国造も定めていった。しかし、その後の歴代天皇も反乱軍の残党に悩まされ続けることになる。

第7代・孝霊天皇の即位74年（紀元前217）、秦の徐福が富士高天原にいたった。徐福は阿祖山太神宮にあった神代文字の記録を秦字（漢字）に書き改める作業を行った。これが『富士宮下文書』における神代史関連文書の底本となったという。

第10代・崇神天皇の即位5年（紀元前93）、三品の大御宝を富士から大和に遷し、阿祖山太神宮には新たに作ったレプリカを置くことにした。こうして皇室は富士からの介入なしで即位を行えるようになった。

応神天皇即位5年（274）、大山守皇子を阿祖山太神宮の大宮司に任じて富士に派遣した。ところが大山守皇子は富士高天原復興を目指す勢力により反乱軍の総大将に祭り上げられてしまった。

大山守皇子が乱戦の中で死を装ったため、仁徳天皇と富士高天原側は和睦した。後に小室浅間神社の宮司家となる宮下家は潜伏した大山守皇子の子孫である（記紀ではオオヤマモリは皇位をうかがって反乱を起こし、仁徳によって死に追いやられたとされている）。

大山守皇子は父の応神天皇と祖母の神功皇后を祭って高御久良神社と名付けたが、これが後の福地八幡宮（現・山梨県富士吉田市下吉田）の由来である。

崇峻天皇の御代、厩戸皇子が勅使として阿祖山太神宮を訪れ、阿祖山太神宮を構成する七廟を高御久良神社と合祀した。

天智天皇即位4年（665）、中臣藤原物部麿（なかとみのふじわらもののべまろ）という人物がすでに腐朽していた徐福の記録を書写して副本とした。だが、延暦19年（800）に起きた延暦の大噴火と貞観6年（864）に起きた貞観の大噴火で富士山周辺は地形まで変わるほどの災厄をこうむった。

阿祖山太神宮ゆかりの神社仏閣も焼失し、多くの宝物や文書が失われた。富士高天原のかつての栄光を示す物証はその際に失われたのである（『富士宮下文書』には延暦・貞観より後の平安・鎌倉時代の噴火に関する記録と称するものも含まれている）。

阿祖山太神宮はその後も継続し、平安時代末期には三浦氏から養子を迎えることで断絶の危機を乗り切った。鎌倉時代には三浦氏が幕府の要職に就いたため、同族の宮下家が大宮司を務める阿祖山太神宮も幕府の庇護を受けた。

さらに南北朝時代には阿祖山太神宮に南朝方の隠し本陣が置かれたこともある。しかし、江戸時代に領主の弾圧を受け、ついに廃絶した。しかし、その古文書・古記録は庄屋となっていた宮下家に保管され、かろうじて現代まで残されてきたのである。

現在の富士吉田市大明見（おおあすみ）にある富士山北東本宮小室浅間神社と富士吉田市下吉田にある福地八幡宮は阿祖山太神宮の名残だという。

『神皇紀』と戦後の研究者たち

大正10年(1921)、三輪義熙(よしひろ)(1867〜1933)が『富士宮下文書』のダイジェストを『神皇紀』と題して刊行、当時のベストセラーとなった。

三輪義熙は、当時の政界・軍部・学界の名士たちを集め、『富士宮下文書』研究のための民間団体「富士文庫」を設立したが、関東大震災の難に遭い、十分な成果を上げることはできなかった(なお、富士文庫に参加した学界の名士には法学博士・理学博士・医学博士・工学博士がいたが、歴史学者は一人も名を連ねていない)。

その後、長らく埋もれていた『富士宮下文書』に再び光が当たったのは1970年代、邪馬台国ブームの最中においてであった。中国正史に登場する邪馬台国と倭の女王・卑弥呼について日本側に伝承が残っていないか、それを探し求める研究者たちによって記紀神話の見直しが始まった。

そこで記紀で神話として語られている伝承を、「神」と呼ばれた人間の歴史として叙述する『富士宮下文書』に注目する人々が現れたのである。

保守派の評論家・作家として活躍していた林房雄(ふさお)(1903〜1975)は著書『神武天皇実在論』(1971年)で、神武東征について記紀よりも詳しい文献として『上記』とともに『神皇紀』を大きく取り上げた。

　林房雄は『神皇紀』を読むだけでなく、『富士宮下文書』の伝存状況を確かめるために富士吉田市の宮下家を訪れたという。ちなみに2020年に『神武天皇実在論』新装版が出ている。

　林房雄の著書が話題になったのと同時期に、在野の古代史研究家・鈴木貞一（1897～1980）も『先古代日本の謎』（1971年）、『日本古代文書の謎』（1972年）、『超古代王朝の発見』（1973年）と立て続けに『富士宮下文書』の内容を紹介する本を著している。林房雄・鈴木貞一の著書は中国正史の倭国（日本）関連記事の信憑性を否定するものだったが、かえって溢れかえる邪馬台国本に飽き足らない一部の古代史ファンに支持されるものとなった。

　三浦一族会・会長を称する岩間尹（ただし）は『日本古代史』（1968年）で『富士宮下文書』に基づく古代史論を展開した（1972年に『開闢神代暦代記』と改題）。その中には『神皇紀』にない独自の「伝承」があったため、かつては宮下家の同族で岩間の先祖とされる三浦一族の記録ではないかと期待する研究者もいた。だが、実際には岩間は宮下家に出入りしており、その際にとった写しに自分の創作も交えて独自の史論を展開したようである（藤野七穂「『古史古伝』未解決の噂」『別冊歴史読本・古史古伝と偽書の謎』2004年）。

１９７４年には、藤沢偉作『日本ムー王国説』も世に出ている。藤沢の説の特徴は、かつて神々が住んでいたという大陸を日本列島から見て西のアジアではなく東南のムー大陸に求めたことである。当然、神々の日本列島移住はムー大陸沈没前の太古の事件ということになる。

武内裕『日本の宇宙人遺跡』（１９７６年）は、『富士宮下文書』を紹介しつつ富士山は超古代文明人が作ったピラミッドで、火山になったのはピラミッドパワーの暴走の結果だという破天荒な主張を展開した。藤沢偉作や武内裕氏の著書により『富士宮下文書』はオカルトマニアの間でも知られるようになる。

鹿島昇（かしまのぼる）（１９２６～２００１）は『倭と王朝』（１９７８年）で『宮下文書』を『上記』『契丹古伝（きったんこでん）』『東日流外三郡誌（つがるそとさんぐんし）』などとともに古代日本史を解明するための基礎資料とし、さらに鹿島は自分の歴史観を宣伝するための出版社「新國民社」を設立した。

鹿島昇は、皇室の祖先がアジア大陸を横断、朝鮮半島にいくつもの国を建てつつ日本列島に到達したという歴史観を有しており、１９７９年に著した『シルクロードの倭人・秀真伝』（鹿島昇・川崎真治・吾郷清彦共著）では天照大御神・月夜見命・栄日子命はそれぞれウラルトウ（現在のトルコ共和国東部を中心とする古代国家）、中央アジアの月氏（げっし）族、パレスチナ地方を拠点とするフェニキア水軍の王だったと論じている。

鹿島昇は、さらに「日本国書刊行会」を名目上の版元にして１９８２年に『神皇紀』を復刻した。ちなみに「日本国書刊行会」会長に中山正暉氏（後に郵政大臣・建設大臣等）が就任し、さらにその推薦文を中山氏と斉藤滋与史（1918〜2018、当時・建設大臣）が寄稿している。

静岡県富士市在住だった郷土史家の加茂喜三は『古代日本の王都が富士山麓にあった』（1978年）、『富士王朝の滅亡』（1979年）、『富士山麓が陰の本営だった隠れ南朝史』（1979年）の富士王朝興亡シリーズ三部作を皮切りに、自ら主宰する富士地方史料調査会より多数の著書を出した。「富士王朝」は加茂の造語であり、私が1993年に加茂本人に問い合わせたところ、葉書にて「『富士王朝』の呼称は、他に先行した用例はなかったように記憶しています」との返答を得ている。

『富士宮下文書』での富士高天原の主な舞台は富士北麓の甲斐（山梨県）側だが、加茂喜三の富士王朝論は南麓の駿河・伊豆（静岡県）側における古代文明の優位を主張するところに特徴がある。

また、加茂喜三は『木花咲耶媛の復活』（1982年）において、過去における富士山噴火は夫（瓊々杵尊）に貞操を疑われたことを恨む木花咲耶媛の霊威の現れだと論じた（加茂によると、噴火の繰り返しで富士山が美しい山容を保つようになった今では、木花咲耶媛はこれ以上の噴火を防ぐ富士山鎮めの女神に変じているという）。

オカルト雑誌の老舗『ムー』と当時のライバル誌だった『トワイライトゾーン』は

ともに１９８６年1月号で『富士宮下文書』と富士高天原の古代都市に関する総力特集記事を掲載した。この両誌はともにオウム真理教の広告媒体だったことがある。私がかつて出版社に勤務していた頃、同教団の教祖・麻原彰晃が『富士宮下文書』を含む古史古伝のテキストを購入したこともあった。

彼が１９８８年10月頃から富士山麓に教団の拠点を移したのはオカルト雑誌経由による『富士宮下文書』の影響があったものと思われる（ちなみに麻原彰晃と親交があった宗教学者の中沢新一氏は１９９５年刊の『それでも心を癒したい人のための精神世界ハンドブック』で麻原が『富士宮下文書』を座右の書にしていたと述べている）。

１９８８年、現存する『富士宮下文書』のすべての写真を収録したテキスト『神伝富士古文献大成』全7巻が刊行された。現在のところ、『富士宮下文書』はその写本が影印版として公開されている唯一の「古史古伝」である。

２０１１年、『現代語訳　神皇紀』が神奈川徐福研究会神皇紀刊行部会より発行されたが、その序文を寄せたのは元総理大臣で当時衆議院議員だった羽田孜（１９３５～２０１７）であった。

大正期の富士文庫以来、『富士宮下文書』は名士たちを引きつける性質があるようだ。また、１９７０～80年代のリバイバルで、オカルト的興味から『富士宮下文書』に近づく人々も多くなった。

そうした〝前史〟を経て、現在、『富士宮下文書』がらみで、もっとも精力的に活動している団体が宗教法人「不二阿祖山太神宮」である。この団体は、太古以来の阿祖山太神宮の再建で、新たな噴火を防ぐ富士山鎮めの社であると称している。

〈古くから日本人は、自然の中に神様がいると考えてきました。そして、洪水や火山の噴火は自然の中の神様が怒ることによって引き起こされると考えられておりました。

富士山は日本列島が合掌した姿といわれていますが、この大きく美しい富士山も、神様が座す（おわす）、あるいは神様そのものとも思われていたのです。富士山も度々噴火を繰り返しておりますが、それは神様が怒っているからだと考えられてきました。

昔の人たちはその神様の怒りを鎮めるための守りとして、山の麓に神社を祀るようになりました。

日本には、全国の山々、里、水辺まで至る所に神社や祠があり、神様をお祀りしておりますが、日本で最初に神様をお迎えしたところが、富士山の太神宮＝不二阿祖山太神宮です〉

〈不二阿祖山太神宮は、富士山の鬼門にあり噴火のエネルギーの出入りを抑えて

います〉

（不二阿祖山太神宮ＨＰ「再建と意義」より）

「不二阿祖山太神宮」の主張を検証する

２０１７年10月に熊本県で開催されたイベント「みんなのＦＵＪＩＳＡＮ地球フェスタ〝ＷＡ〟２０１７」では、安倍昭恵首相夫人（当時）を名誉顧問として石破茂氏、谷垣禎一氏ら国会議員約70名（自民党の他、公明党、維新、民進党含む）が顧問に参加した（２０２０年8月現在、同行事のＨＰでは安倍昭恵氏の名は削除されている）。さらにこのイベントは内閣府・経済産業省・厚生労働省・農林水産省・文部科学省・観光庁・総務省・外務省・環境省・防衛省・消防庁および九州・関東・東海各地の自治体が後援しており、さながら政界・官界挙げての応援という趣もあった。

熊本県での開催ということで、一見、富士山とは関係なさそうなこのイベントだが、それは実は2年前の２０１５年10月、山梨県で「不二阿祖山太神宮」関連の行事として開催された「地球フェスタ２０１５」の後継イベントだった（原田実『偽書が描いた日本の超古代史』２０１８年、同『偽書が揺るがせた日本史』２０２０年）。

その主催者にして、現在、「不二阿祖山太神宮」の大宮司に就任しているのが渡邉政男氏である。渡邉氏はＮＰＯ法人・地球と共に生きる会（２０００年発足・２００５年ＮＰＯ法人承認）の理事長でもある。

渡邉政男氏は、地球と共に生きる会の活動の一環として２００４年、富士山麓にシイタケ栽培のための土地を購入したが、やがてそこが超古代の阿祖山太神宮の故地であるとの信念を得て、再建に乗り出したという（「富士王朝「不二阿祖山太神宮」の謎」『ムー』２０１４年６月号）。

渡邉政男氏により再建されたという阿祖山太神宮の御建立祭が行われたのは２００７年５月５日、宗教法人「不二阿祖山太神宮」としての登記がなされたのは２０１２年のことだった（すでに存在していた宗教法人「天住の会」の改名という形式）。

ちなみに「不二阿祖山太神宮」には武徳殿という剣道の道場が置かれている。その館長の平田冨峰氏は警視庁で40年にわたって奉職した人物で、保守系政治団体・日本協会の第17代会長、株式会社雪国まいたけの監査役も並行して務めておられる人物である。ここにも渡邉政男氏の人脈の一環を見ることができよう。

現在の「不二阿祖山太神宮」の主張については二つの視点から検証する必要がある。一つは、それが『富士宮下文書』の記述に照らして妥当な内容かどうか。もう一つは根拠となる『富士宮下文書』が史料として信頼できるかどうか、ということである。

ＮＰＯ法人・地球と共に生きる会のＨＰによると、渡邉政男氏は「東京都生まれ。

法政大学経済学部卒業」だという。渡邉氏は著書『世界最古・不二阿祖山太神宮』（２０１８年）において、自分の家系について次のように語っている。

〈基本的には不二阿祖山太神宮の大宮司は、宮下文書の宮下家か渡邉家しかいないのです。宮下家は大山守皇子のご子孫で、渡邉家は嵯峨天皇から始まって何代目かのときに渡部というところを治めたので渡邉の姓を名乗り、こちらに来て宮司になっています。富士吉田には４０００世帯ぐらいワタナベ姓がいます。宮下姓も結構あります。病院から何から、看板もたくさんあります〉

〈百済から聖徳太子が持ってきた観音様を、先祖が平家の六波羅探題から持って逃げました。一旦九州へ行って、新潟の新井市（現妙高市）、ここは平丸といいました。上平丸、下平丸も、全部が石田姓の平家落人の村です〉

また、同じ著書で「寒川福地八幡宮旧社明神再興立普請帳」という小見出しの文章では、『富士宮下文書』に「渡邉仁太夫」という人物が登場するとして、自らの家系との関係を暗示している。ちなみにこの小見出しと同じ題の「古文書」は『神伝富士古文献大成』第七巻に収録されているが、嘉永二年（１８４９）に行われた福地八幡宮の宮普請（神殿修繕）の次第を記したものであり、渡邉なにがしという人物は登場しない。

さて、『富士宮下文書』において阿祖山太神宮の大宮司の名字とされるのは宮下のみである（大宮司が「富士」もしくは「三浦」を称したという記述もあるが、いずれも系譜上の名字は宮下）。『富士宮下文書』にも渡邊（「渡部」「渡辺」の表記もある）という名字の人物はしばしば登場するが、彼らが大宮司の地位についたことはない。

『富士宮下文書』に登場する渡辺家については、渡辺長義の著書『探求　幻の富士古文献』（２００２年）に詳しい。渡辺は林房雄『神武天皇実在論』にも、「この文書（『富士宮下文書』のこと）を全部写しとり、製本して自宅に保存している人」として登場、林は彼からアドバイスを受けたという。

『探求　幻の富士古文献』は晩年の渡辺が長年の研究の集大成として著した書籍だが、そこには彼自身の祖先とも関わる渡辺家について『富士宮下文書』から抽出した記録がある。

それによれば、嵯峨源氏で摂津国の渡辺の里（現・大阪市久太郎町）に住した渡辺綱（９５３〜１０２５、『富士宮下文書』では渡邊綱道）から６代後の渡辺綱広が保元・平治の合戦に敗れ、家族とともに平家に追われて富士山に入り、宮下家に迎えられた。永暦元年（１１６０）のことだという。

鎌倉幕府が宮下家を富士の総地頭に任命した時、綱広の長男・渡辺庄左エ門綱高は新倉（現・山梨県富士吉田市新倉）の地頭となり、その地にあった旧社を富士浅間神社として再興した。したがって『富士宮下文書』でも渡辺家は富士浅間神社の宮司となっているが、それは阿祖山太神宮の後継としての小室浅間神社とは別の社なのである。

ちなみに今でも富士吉田市新倉の新倉富士浅間神社の宮司家の名字は渡辺である。これはむしろ新倉富士浅間神社の宮司としての渡辺家がその地域での名家だったからこそ、『富士宮下文書』において渡辺家と宮下家の関係を説明するための来歴が作られたと考えるべきだろう。

つまり『富士宮下文書』ゆかりの渡辺（渡邊・渡部）家は、その『富士宮下文書』に照らしてさえ阿祖山太神宮の大宮司であったことはないし、その系譜に新潟の平家落人伝説などは関連する余地もないということである。渡邉政男氏が阿祖山太神宮の大宮司を称するのは僭称としかいえない。

もちろん宗教上の地位に血統は必ずしも関係はない、という見方もできる。だが、その場合は渡邉政男氏による「不二阿祖山太神宮の大宮司は、宮下文書の宮下家か渡邉家しかいない」という主張も無意味になってしまうのである。

なお、不二阿祖山太神宮の境内には五色人（皮膚の色に基づく人種分類）に基づく黒・青・赤・白・黄の五色岩なるものが設置されているが、五色人説は『富士宮下文書』ではなく『竹内文書』に基づくものである。また、渡邉政男氏は『秀真伝』を記紀より前の書物として重視するとともに、「カタカムナ文書は太古の科学書で、これも難解です。カタカムナはホツマよりもずっと前、宮下文書よりも前です」と述べている（前掲『世界最古・不二阿祖山太神宮』）。「ホツマ」は『秀真伝』、「宮下文書」は『富士宮下文書』のこと。『カタカムナ』については拙著『偽書が描いた日本の超古代史』参照）。

『富士宮下文書』と『竹内文書』『秀真伝』『カタカムナ』はいずれも異なる世界観に基づいており、本来は、同列に信奉するのは不可能なのだが、不二阿祖山太神宮の教義ではそのような些事（？）は問題にならないようである。

なお、『富士宮下文書』で阿祖山太神宮の後継と伝える富士山北東本宮小室浅間神社と福地八幡宮はどちらも山梨県神社庁に所属しており、新興宗教としての不二阿祖山太神宮とは特に交渉はないようである。

『富士宮下文書』の富士山噴火記録の信憑性は？

さて、『富士宮下文書』自体の信憑性についてはどうだろう。そこに収められた「古文書」はいずれも文体や用語、制度に関して書かれたとされる年代のものとは考えにくく、偽文書と見なさざるをえないものばかりである。

また、太古の神々や天皇の事蹟に関する古記録についても、明らかに明治以降の知識で書かれた箇所がある。はなはだしい例となるのは神武天皇即位の日付を「辛酉年二月十一日」とする記述である。

2月11日は明治6年（1873）に神武天皇御即位の日付として紀元節と定められ、紆余曲折を経て、今では国民の祝日である「建国記念の日」とされている。だが、これはもともと『日本書紀』で神武が即位したとされる辛酉年正月の朔（一月一日）を明治6年に日本でも採用したグレゴリオ暦で換算して紀元前660年2月11日としたところからきたものである。

神武天皇の辛酉年の日付についてはいかなる暦法から得られたか江戸時代から議論があって、明治政府の決定は政治的判断の一つにすぎない。

また、グレゴリオ暦にいたっては制定そのものが1582年ということで、たとえ神武天皇が実在したとしても、これら後代の暦法に基づいて机上でひねり出した日付である2月11日が実際の即位の日付と一致することなどまずありえない。

では、本書のテーマと関わる富士山噴火記録について、『富士宮下文書』の信憑性はどの程度のものだろうか。

技術者・地質学者として富士山麓・桂川の治水管理に従事し、猿橋水路橋（明治45年架橋・山梨県大月市猿橋町）の設計者として知られる神原信一郎（かんばらしんいちろう）（1882〜1945）は、『富士宮下文書』を支持した研究者の一人でもある。

神原信一郎が『富士宮下文書』を支持した理由は、彼が行った富士山麓の地下水脈調査の結果と、『富士宮下文書』の内容が一致していたからだという。特に重要なのは、神原は富士山北麓の猿橋溶岩の下に地下水路があることを「発見」し、その位置が『富士宮下文書』で延暦の大噴火（８００年）で溶岩に埋もれた川として出てくる「大田川」の流路と一致すると主張したことである。神原によると、その一致は延暦の大噴火より前の正確な地形の記録が伝わっていなければ起こりえないという。

現在でも、この神原信一郎の説を根拠に、『富士宮下文書』は真正の古記録だ、と主張する論者は後を絶たない。ところが、その神原は昭和16年（１９４１）に行った講演で「宮下記録に偽書の混ざってあることを発見しました」「宮下文書の中には狭い意味の文書が若干あります。すなわち綸旨、令旨、往復文書、遺墨というようなものが少しあるが、それは全部偽書であります」と断言している。

神原信一郎でさえ、『富士宮下文書』に偽書が含まれていることを認めていたのである（神原信一郎「富士古文書の自然科学的研究」『神日本』昭和13年12月号）

元東大地震研究所助教授・都司嘉宣（つじよしのぶ）氏は４つの点で『富士宮下文書』の延暦の大噴火関係の記述は信用できないという。

1、『富士宮下文書』での噴火の日付は延暦19年（８００年）４月８日〜９日となっているが、正史『日本後紀』が伝える噴火開始の日付は延暦19年3月14日である。
2、『富士宮下文書』では噴火前の東海道は富士北麓を通っていたとあるが、これでは駿河国を通っている道がいったん甲斐国へ入って大回りすることになり、官道としては不自然である。
3、正史『日本後紀』などによれば、富士北麓に溶岩が噴出したのは貞観の大噴火（864年）であって延暦の大噴火ではない。
4、『富士宮下文書』は猿橋方面の溶岩を延暦の大噴火（800年）の時のものとしているが、これは実際には今から1万年～8000年前の古富士時代の噴火によるものであることが判明しており、まったく時代が異なっている。

以上から、都司氏は、この「延暦の大噴火」の記述は後世の偽作、空想の産物だったと見なしている（つじよしのぶ『富士山の噴火』1992年）。

神原信一郎の考証にとって、この猿橋溶岩の件は特に致命的だ。なぜなら、猿橋溶岩が延暦の大噴火の産物でなかったとすれば、『富士宮下文書』の「大田川」を猿橋溶岩の下の地下水路の前身とする神原の主張そのものが成り立たなくなるからだ。

『富士宮下文書』は河口湖の形成を延暦の大噴火と関連づけているが、東京都立大学名誉教授の町田洋（ひろし）氏によると、河口湖の形成はそのように新しい時代のことではなく、やはり古富士時代のことであったことが判明している（町田洋『火山灰は語る』１９９７年）。

また、『富士宮下文書』によると、富士五湖の山中湖と、忍野村の湧水群（忍野八海）はもともと一つの湖（宇宙湖）だったのが、延暦の大噴火で分かれたという。

ところが２００３年11月23日付・山梨日日新聞によると、山梨県環境科学研究所・山梨県衛生公害研究所などの合同チームが忍野村でボーリング調査を行ったところ、すでに約９０００年前、忍野八海の前身となる湖と山中湖とは別々の湖であったことが判明した。この調査により、この両者が延暦年間まで一つの湖であった可能性はまったくないことが確認されたのである。

静岡大学教授の小山真人氏は『神皇紀』などの二次資料からではなく、『富士宮下文書』影印版から延暦の大噴火に関する記録を拾い出して、それを現在の地質学で判明している事実と照合した。

その結果、次の５項目は、明らかに誤りと判断できる記述に属するという。

Ⅰ、宇宙湖という湖が溶岩流によって二つの湖に分かれた。
Ⅱ、大田川が溶岩にせき止められ、新しい湖ができた。
Ⅲ、大月市猿橋付近まで溶岩が流れた。

Ⅳ、富士市大淵付近まで溶岩流が流れた。
Ⅴ、小山町竹之下付近まで溶岩流が流れた。

以上から、小山真人氏は「残念ながら現時点において『宮下文書』の噴火記述の信頼性は相当低いものと言わざるをえない」「『宮下文書』の噴火記述には、大幅な誇張や明らかな誤りが多数含まれている」と結論づけている（小山真人「富士山延暦噴火の謎と『宮下文書』」『別冊歴史読本・徹底検証古史古伝と偽書の謎』2004年3月）。

結局、『富士宮下文書』とは何だったのか。藤原明氏は宮下家での「古文書」偽作は江戸時代の末から明治期の数代かけて行われたものであろうとして、その当初の目的は「入会権などをめぐる土地問題」に関わると推測した（藤原明「物語的偽書『富士文献』の重層構造」『別冊歴史読本特別増刊「古史古伝」論争』1993年7月、入会権（いりあいけん）とは村落の住人が山林などを共同利用するための権利）。

実際、『富士宮下文書』には近世の庄屋としての宮下家が周囲の村々と入会地の取り決めを行ったという文書が多数含まれている。近世には、偽文書であったとしても、相手方がその内容を覆すだけの根拠を見出せなければ、公の場でも証文として効力を発揮することはままあった。『富士宮下文書』の入会地関連文書はその多くが偽作と思われるが、争いが生じた時には効力を期待できたのである。

さらに藤原明氏は、その後の論文において、宮下家の「古文書」偽作の原点は、他の村落との間の水利権争いに用いるための偽文書だったという仮説を提示した。『富士宮下文書』には神代の神々が「保利和利」（掘割、用水路を改作すること）を行って農地を広げたという記述があるが、これは江戸時代に行われた治水工事を神代にさかのぼらせることで自分たちの集落の用水に関する権限を強めようとしたのではないか、というわけである（藤原明「近代の偽書――〝超古代史〟から「近代偽撰国史」へ」、久野俊彦・時枝務編『偽文書学入門』２００４年、所収）。

村落間の利権の対立があるところで、一方の主張を裏付けるための偽文書が作成されがちだったことについては最近話題となった椿井文書をめぐっても問題とされた。椿井文書とは、山城国椿井村（現・京都府木津川市山城町）の椿井政隆（１７７０～１８３７）という人物がその伝存に関わった「古文書」の総称だが、実態としては椿井本人が近畿地方の広域にわたって多数の偽文書を提供したと考えられる。

その偽作の動機は「古文書」を売り込むことで各地の村落間の利権争いに介入することだったと思われる（馬部隆弘『由緒・偽文書と地域社会』２０１９年、馬部隆弘『椿井文書』２０２０年）。

『富士宮下文書』については椿井政隆のような人物が介在することなく、宮下家自体が「古文書」「古記録」を作り続けていたと思われる。入会権にしろ、水利権にしろ、村落の既得権をより強固に主張するために、その地域の神社（小室浅間神社、福地八幡宮など）の神域を実際より広く、社伝を実際より古くする必要がある。そのための創作を繰り返すうちに壮大な物語ができあがってしまったというわけである。こうして架空の超古代神殿「阿祖山太神宮」が誕生した。

最初から架空の存在だった神社を建てるのは再興とはいえない。いうなれば上海アリス幻樂団のあずかり知らないところで「東方Project」を教典に博麗(はくれい)神社を建てて宗教法人申請をするようなものだ。「不二阿祖山太神宮」再興なるものは、実証的には虚空に楼閣を建てたようなものと言わざるをえないだろう。

富士山噴火や戦乱などに立ち向かった人々の物語

さて、現実の歴史において富士山信仰の中枢ともいうべき場所だったのは、富士山本宮浅間大社（静岡県富士宮市）である。

ここで記録に残っている主な噴火と、朝廷が浅間大社に与えたとされる位階について整理してみよう。

天応元年（781） 噴火（『続日本紀』）

延暦19年（800）噴火（『日本後紀』『日本紀略』）
仁寿3年（853）浅間神を名神・従三位に叙す（『文徳天皇実録』）
貞観元年（859）浅間神を正三位に叙す（『日本三代実録』）
貞観6年（864）噴火（『日本三代実録』）
延喜7年（907）浅間神を従二位に叙す（『諸社根源記』）
延長5年（927）朝廷が幣を給う神社を記した「延喜式神名帳」で浅間神社が名神大社に列せられる
承平7年（937）噴火（『日本紀略』）
長保元年（999）噴火（『本朝世紀』）
長元5年（1033）噴火（『日本紀略』）
永保3年（1083）噴火（『扶桑略記』）
永治元年（1141）浅間大社が正一位に叙せられる（『富士山本宮浅間大社・御由緒』）
永享7年（1435）噴火（『王代記』）
永正8年（1511）噴火（『妙法寺記』『勝山記』など）
宝永4年（1707）噴火（『楽只堂年録』『鸚鵡籠中記』『富士山自焼記』『富士山噴火記』他、多数）

（富士山考古学研究会編『富士山噴火の考古学』2020、富士山本宮浅間大社HPなどから作成）

仁寿3年の時点で、朝廷ゆかりではない地方の神社としては異例の従三位に叙せられているというだけでも、朝廷が浅間神社を重視していたことはうかがえる。それには富士山の火山活動と無関係ではないだろう。朝廷も浅間神に富士山鎮めの役割を期待していたと思われる。

正一位は神階としては最高の位階だから、永治元年の時点で朝廷は昇進による神意発揚のためのカードを使い切ったことになる。

しかし、この表でわかるように浅間神の昇進は富士山の噴火と連動して行われているわけではない。渡井英誉氏（富士宮市教育委員会）は朝廷の浅間神への対応は現地の火山活動よりも中央での宗教政策によって動かされた面が大きいことを指摘している。

たとえば仁寿3年の昇進は当時の朝廷の文徳（もんとく）天皇（在位850〜858）が、諸国の国司に瑞祥（ずいしょう）（めでたい現象）を報告するよう推奨するとともに、有力な神社に三位の神階を改めて授けるという政策をとったことによるものであり、貞観（じょうがん）元年については清和天皇（在位858〜876）の即位にともなって諸国の神社に新たな御神宝を奉献する儀式を行った一環だと思われる（渡井英誉「信仰と噴火」、前掲『富士山噴火の考古学』所収）。

『日本三代実録』は貞観元年の浅間神正三位昇進と、その貞観6年の噴火を伝える。

この時の噴火の規模はすさまじく、富士北麓にあった剗（せ）の海という大きな湖が溶岩で分割されて現在の精進湖と西湖が形成されたほどだった。

甲斐国の国司（地方長官）はこの大噴火は駿河国の浅間神に仕える神官たちが怠慢だから生じたとして朝廷に上申した。朝廷ではそれを受けて甲斐国で浅間神を祭ることを許し、八代（やつしろ）郡（現・山梨県笛吹（ふえふき）市とその周辺）に新たに浅間神社を建てた（現・笛吹市一宮町の浅間神社、現・山梨県市川三郷町の浅間神社など諸説あり）。それ以降、甲斐国でも浅間神社が建てられるようになった。

現在、浅間大社のお膝元の静岡県ばかりでなく山梨県にも数多くの浅間神社があるのはそのためである。後に阿祖山太神宮ゆかりの社に仮託される小室浅間神社も、そのようにしてできた神社の一つだったのだろう。

たしかに甲斐国でも浅間神社に富士山鎮めの神威を期待していたなら、昇進からわずか5年後の大噴火を神官のせいにしたくなるのもよくわかる。

『富士宮下文書』が噴火の記録を数多く残しているということは、その作者が、阿祖山太神宮の祭祀によって噴火を防ぐことができなかったことを認めているということである。

その代わり、『富士宮下文書』には、噴火のたびに阿祖山太神宮から朝廷に使者を派遣して巡察を仰ぎ、焼けた神社や仏閣を建て直したり、被災した死者を弔ったり、崩れた道を補修したりしたことが詳しく記されている。

『富士宮下文書』の内容は、（その多くはフィクションであるにしても）繰り返される富士山噴火や戦乱などの災厄に対し、阿祖山太神宮の神官たちが、どのように立ち向かい、生き残った人々の暮らしを再建してきたかの物語なのである。

現在の「富士阿祖山太神宮」が主張するところの、〝阿祖山太神宮を再建すれば富士山噴火を防げる〟という主張は『富士宮下文書』という偽書に依存しているだけでなく、その『富士宮下文書』に照らしてさえ曲解としか言いようがない。

第3章　災害・疫病で読み解く「古史古伝」

転変地異で読み解く『契丹古伝』

浜名寛祐と『神頌叙伝』と『契丹古伝』

『竹内文書』が軍人たちから注目されていたことは前章で述べた通りだが、その中の一人に上原(かみはら)清二（最終階級・陸軍大佐、1880〜1962）がいる。岐阜県高山市出身の上原は昭和9年（1934）、酒井勝軍による飛騨神代遺跡調査に同行して以来、飛騨山中にある巨石を『竹内文書』に基づいて遺跡として解釈するレポートを書き続け、その主要著作は『世界の神都　飛騨高山』（1985年）という一冊にまとめられている。

その上原清二が戦後の昭和27年（1952）に著した「世界の母国」という文章には、『竹内文書』における「万国大変動土ノ海トカユラクス（壊落す）」などの天変地異記事について、裏付けとなるもう一つの古伝があると記されていた。

〈竹内家保存の古文献の皇統譜は、地質学上の大変化が確実に窺い得られる。尚又契丹が伝へていた古伝と一致しているのですから、確実な資料に依つて書かれたもので、十分信用得られる古文献だと云ひ得ると思います〉（上原清二「世界の母国」前掲『世界の神都　飛騨高山』所収）

上原清二が言う「契丹が伝へていた古伝」とは、文字通り『契丹古伝』と通称される文書である。『契丹古伝』は明治38年（1905）に、浜名寛祐（号・祖光、最終階級・陸軍少将、1864〜1938）という軍人によって発見されたという。

浜名寛祐は日露戦争（1904〜1905）において、陸軍の兵站経理部長として満洲（現・中国東北部）奉天（現・中国遼寧省瀋陽市）郊外の黄寺（チベット仏教寺院）に駐留していた。その同じ部隊には、漢学者として有名な廣部精（中国語教科書『亜細亜言語集』の著者、1855〜1909）もいた。

廣部精は、その寺の僧から、漢字で書かれていながら通常の漢文としては読めない奇妙な巻物を見せられた。それは、とある陵墓から出土した秘物で、戦禍から守るために寺に預けられたものだという。廣部は密かにその巻物を写し取ることに成功した。

廣部精は自ら持ち帰る分の他にもう一本、写本を作り、それを友人である浜名寛祐に託した（廣部が持ち帰ったはずの写本は所在不明）。

浜名寛祐はその解読に苦しんだが、その文中に正史『三国志』に出てくる古代朝鮮語とよく似た語句があるのに気づいた。それを手掛かりにようやく文意を明らかにすることができた。

浜名寛祐はその写本の全文2980字を46章に分けて『神頌叙伝』という題を付した。そして、その『神頌叙伝』に解説を施し、大正15年（1926）に、『日韓正宗遡源』という書籍にして世に問うたのである。

もっとも『神頌叙伝』という書名は定着せず、この文書は昭和期の太古史研究家の間では『契丹古伝』という通称で流布した。

浜名寛祐のユニークな古代日本語・古代朝鮮語解釈は、かつては学界の評価を得ていたことがあった。言語学者・松岡静雄（1878〜1936）の『日本古語大事典』（1929年）や岩波文庫『魏志倭人伝・後漢書倭伝・宋書倭国伝・隋書倭国伝』（和田清・石原道博編訳、1951年）、国語学者・山中襄太（1895〜1996）の『地名語源辞典』（1968年）などでも『日韓正宗遡源』は参考文献の一つに挙げられていた。

だが、『契丹古伝』は浜名寛祐の語る由来譚に裏付けが取れないことや、浜名の解釈なしに意味が取れない奇妙な文面であることなどから、歴史学界からは浜名寛祐による偽書と見なされたようである。ついに真正の史料と認められることはなかった。

また、語源研究は、落語の「千早振る」（在原業平の「千早振る神代もきかず竜田川からくれなゐに水くくるとは」の歌の意味を聞かれた隠居が、苦しまぎれにこじつけの解釈をする噺）

まがいの語呂合わせ的な俗解に陥りやすいため、言語学・国語学の主流からは次第に等閑視（とうかんし）されるようになった。

山中襄太も『地名語源辞典』の序文で「語源研究は、国語学界ではほとんど眼中に置かれていない」と認めていたほどである。学界の語源研究離れとともに浜名寛祐の古代日本語・古代朝鮮語解釈も次第に忘れられていった。

１９８５年に出た岩波文庫『魏志倭人伝・後漢書倭伝・宋書倭国伝・隋書倭国伝』新訂版では『日韓正宗遡源』は参考文献から外されている。

しかし、その間にも、学界に属さない「古史古伝」研究者の間では『契丹古伝』は古代アジアの秘史を語る文献としてもてはやされ続けた。鹿島曻は『倭と王朝』（１９７８年）、『倭人興亡史』１・２（１９７９年）、『北倭記』（１９８６年）、『北倭記要義』（１９８７年）と、一人で幾冊もの『契丹古伝』解読書を発表していたほどである（「倭人興亡史」「北倭記」とは契丹が日本列島の倭人と同族だったという鹿島独自の歴史観に基づいた『契丹古伝』の別名）。

丹鶏出現の奇瑞と神頌を記した石

西暦10世紀、現在の内モンゴル自治区にいた遊牧民族の契丹が自立して大契丹国を建て、926年には渤海（ぼっかい）（朝鮮半島北部から満洲、元ロシア沿海州にまたがる国家）を滅ぼして、モンゴルから満洲にまたがる広域国家となった。大契丹国はさらに中華河北をも併合、947年には「遼」という国号を称する。

大契丹国初代の王である耶律阿保機（やりつあぼき）は逝去後に遼の太祖（在位916～926）という皇帝としての称号を与えられた。また、かつて渤海国があった地域には一時、東丹国（とうたんこく）という国が置かれていた。

その東丹国の王として封じられていたのは遼建国の功臣・耶律羽之（うし）（890～941）である。渤海には唐の制度に関する文献が多数あったが、学問好きの羽之はそれを研究し、遼の国家制度を整えるために役立てた。

ここまでは正史『遼史』（1344年完成）などからうかがえる史実だが、『契丹古伝』は遼の首都・上京臨潢府（じょうけいりんこうふ）（現・内モンゴル自治区赤峰市）で起きた、他の史料に出てこない奇瑞について語る。

天顕元年（926）元日、上京臨潢府で、丹鶏（丹頂鶴か）が太陽から降りてきて宮殿の上を舞うという瑞兆（めでたいことの前兆としての不思議な現象）が生じた。

さらに遼の太祖の御世の会同元年（937）、再び丹鶏出現の奇瑞があり、その鳥が下りたところから、文字が浮き出た美しい石が見つかった。その文字は神からもたらされた、めでたい詩歌、すなわち神頌（しんしょう）を記したものと解された。

遼の朝廷から神頌の解読を任されたのは学問好きで知られた耶律羽之その人である。東丹国で保管している渤海の古書籍をいくつもひもとき、その引用を列挙することで東大族（シウカラ、アジア広域の先住民）の歴史を明らかにした。

その歌は東大国皇（東大族の国の君主）を讃えるものであり、それが浮き出る石が見つかったということは、遼が東大族の後継として、中原（ちゅうげん）（中華文明の中心である黄河中下流域周辺の平野）奪還の宿願を果たすことを示している、というわけだ。

耶律羽之は、その解読結果と、解読に用いた古書の引用を会同5年（９４２）6月にまとめた。しかし、遼は１１２５年に滅び、耶律羽之編纂の文書も埋もれることになった。それが巡り巡って浜名寛祐の手元にもたらされたというわけである。

しかし、史実において、耶律羽之は会同4年8月逝去、5年3月に墓所が定められているので、その3か月後に『契丹古伝』を完成させたというのは、真の作者の設定ミスだろう（その真の作者については後に考察する）。

ちなみに『契丹古伝』の奇瑞で石に浮き出ていたという神頌を浜名寛祐の訓読に従って仮名書きし、さらに浜名寛祐の解読を現代語訳すると次のようになる。

しうくしふ　あやしきひしりにしふる　からすべしら　むらしこなるめ

（東大族の王は　神の加護を得た聖人である　東大族を統治し　大勢の戦士を召集する）

浜名寛祐の解釈が正しいとして、この神頌が遼の太祖の御世に現れたとされていることは、その内容は、古代の東大族の王を讃えるだけではなく、天が、遼の太祖こそ新たな東大国の王ともいうべき人物であることを示す予言としてもたらしたものだ、という解釈へと読者を誘導するものである。

佐治芳彦や鹿島曻は「海漠象変」の謎をどう解いたか

『契丹古伝』における天変地異の記事は浜名寛祐の章立てによるところの第21章にある。浜名の訓読に従ってそれを示してみよう。

〈費弥国氏洲鑑（ひみこくししゅうかん）の賛に曰く。海漠象変（かいばくしょうへん）して地西に縮まり。乃后稜（のころ）海と為つて天東に遠し。又洚火（こうか）の災を経て西族漸入し。牛頭を神とする者。蛇身を神とする者。吾が神子の號を詐り。犠・農・黄・昊・陶・虞を造り。自ら予を聖なりと謂ふ〉

（「費弥国氏洲鑑」という本の註釈によると、その昔、海と砂漠の形が変わるほどの天変地異があって西方の大地は狭くなり、乃后稜という場所が海に沈んで東方の見晴らしがよくなった。さらに火による災害もあって混乱する中、西から牛の頭の神や蛇の体の神を崇める者たちが押し寄せた。彼らは東大族の始祖である神の子たちの称号を借りて伏義・神農・黄帝・小昊・陶唐氏・有虞氏などの聖人の伝説を造り、その聖人たちは自分たちの祖先であると偽っている）

伏羲（ふっき）・神農・黄帝（こうてい）・少昊（しょうこう）・陶唐氏（とうとう）（堯）・有虞氏（ゆうぐ）（舜）はいずれも中国神話における古代の帝王である。伏羲は蛇体、神農は牛の頭だという伝説があるため、中国美術では伏羲は夫婦とも姉妹ともいわれる女媧とともにからみ合う半人半蛇の姿で、神農は頭から牛の角を生やした姿で描かれることが多い。

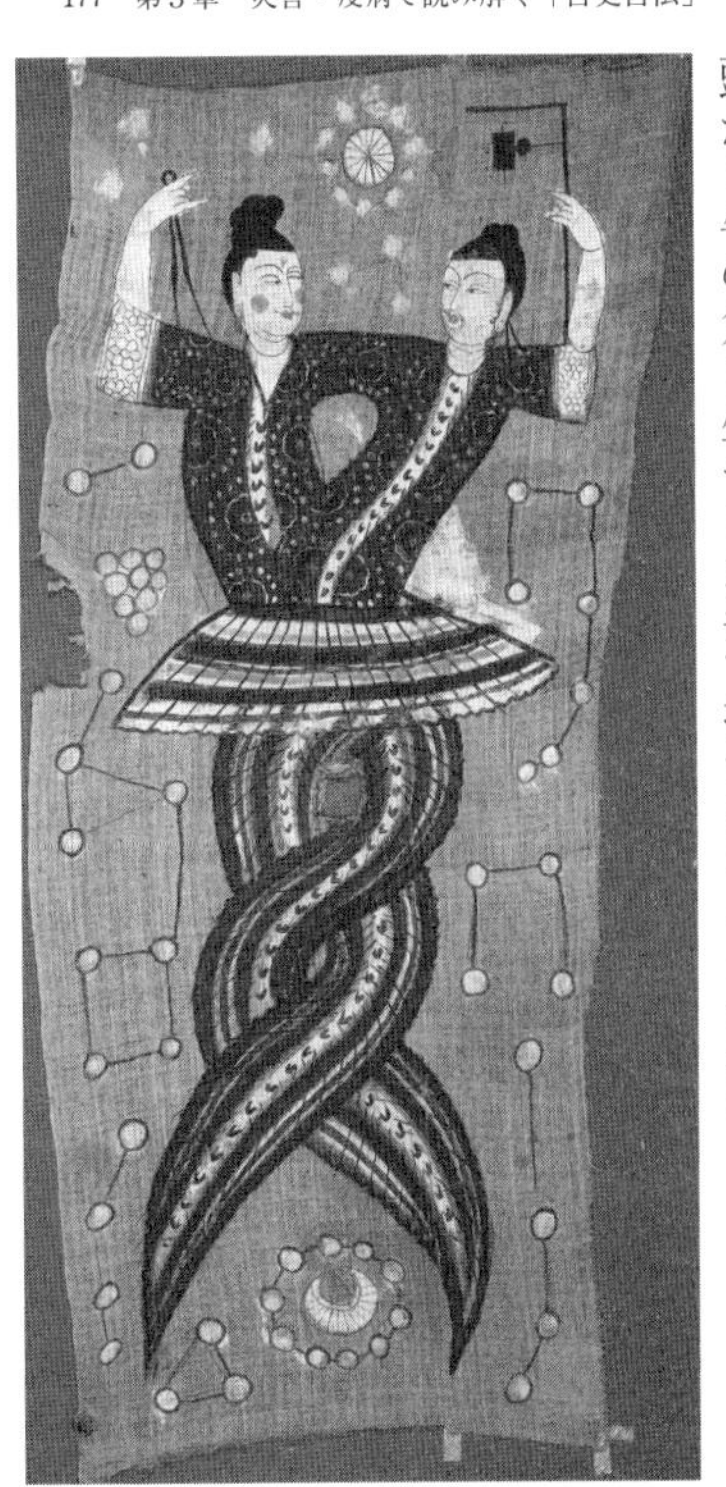

伏羲と女媧像（新疆ウイグル自治区博物館蔵）

『契丹古伝』でいう「西族」とは、現代の中国で主流をなす漢民族の祖先のことである。つまり、中国神話の古代の帝王たちは、漢民族の祖先が、東大族の始祖に関する伝承をモデルにして、それに牛の頭や蛇の体など自分たちの信仰に合わせた要素を付け加えて、新たに漢民族の始祖として捏造したものだというわけである。つまり、浜名寛祐は、漢民族が東大族の伝承を盗むことで自分たちの祖先の権威を高めたと見なしたわけである。

「費弥国氏洲鑑」は浜名の考察によると、卑弥氏（費弥氏）の史書であり、卑弥氏とは、現在は北朝鮮の首都となっている平壌市に都して朝鮮半島を支配した馬韓（ばかん）国の王家であったという。

また、浜名寛祐は卑弥氏について、いわゆる魏志倭人伝で邪馬壹国（邪馬台国）に都したとされる倭の女王・卑弥呼の一族でもあったとする。すなわち、浜名寛祐は、卑弥呼は倭の女王であるとともに馬韓の女王でもあったという説を唱えていたわけで、これにより浜名は、邪馬台国北朝鮮説の先駆となった（浜名以降の邪馬台国北朝鮮説の進展については、歴史読本編集部編『ここまでわかった！ 卑弥呼の正体』２０１４年、ＡＳＩＯＳ『謎解き古代文明』文庫版２０１８年、所収の拙稿参照）。

さて、海と砂漠の形が変わるほどの天変地異があって、西方の大地は狭くなり、東方の土地が海に沈んで見晴らしがよくなった……その「海漠象変」とは具体的にはどのような異変だったのか。浜名寛祐は当時の地質学説に基づくとして、アジアとヨーロッパの間にあった「一大地中海」（広大な湖水）が今から１万年前から８０００年前に隆起して砂漠になったと唱え、それが「海漠象変」の真相だとした。

また、浜名寛祐は一方で、それと同時期に朝鮮半島と日本列島を結んでいた広大な陸地が海に沈んで現在の半島・列島の地形が形成されたと考えられるともした。「乃后稜（ノコロ）」が海になったというのは、その朝鮮半島と日本列島の陸地の沈没を意味するのではないか、というわけである（つまり「ノコロ」とはその沈んだ陸地の呼称だったということになる）。

さらに浜名寛祐は、記紀の国産み神話でイザナギ・イザナミが得た最初の陸地がオノコロ島と呼ばれていることや、『出雲国風土記』の国牽き神話で出雲の神が周囲の国土を出雲に集めることで現在の日本海沿岸の地形ができたと伝えられていることは、広大な陸地（ノコロ）が沈んで地形が整ったことの神話的表現ではないか、とも述べている。

佐治芳彦は浜名寛祐の解釈を受けた上で次のように述べている。

〈私は、この「海漠象変」を、朝鮮海峡が開いたなどというチャチな変化ではなく、地球が乾燥期に入って、やがてかつての大内海が干上がり、砂漠化した現象

をさしているのではないかと考える〉

〈この「海漠象変」以前、東海（東シナ海）が大行山脈（山西省）の麓まで拡がり、さらに渭水のあたり（のち西族が本拠とした関中の地）まで海棲の動物がさかのぼり、東大族には、殷代に商邑がおかれた河岸段丘からはクジラが汐を吹く姿が望見されたにちがいない。もちろん、当時はゴビ砂漠も巨大な内海であり、青海省はその名の通りに紺青の水をたたえた巨大な内海だったはずである〉

〈次に「洚火の災」。これは堯代におこったという大洪水（洚）と火の災禍だが、浜名寛祐は「火」は不明だとしている。常識的には、ノアの大洪水に相当するアトランティック海進（あるいは縄文大海進）が「洚」であり、「火」は大陸規模の火山脈の噴火ということになる。おそらくユーラシア大陸西部の噴火のことではあるまいか〉（佐治芳彦『謎の契丹古伝』１９９０年）

　佐治芳彦の言う「関中の地」とは、現在の中華人民共和国陝西省西安市を中心とする一帯である。秦始皇帝が統一国家の都とした咸陽（現・咸陽市）や、漢皇祖（前漢初代皇帝・劉邦、在位紀元前２０２～前１９５）が都したのを最初に、前漢・隋・唐の首都となった長安（現・西安市）がある。中華帝国、ひいてはその主要民族としての漢民族のアイデンティティ形成の上で重要な役割を果たした地域であった。

ちなみにアトランティック海進および縄文大海進は、今から約1万年前から6000年ほど前の海水位上昇によって生じた地球規模での陸地水没を意味している。

また、『契丹古伝』第16章には、東大族の始祖の一人である「神祖」が西の海を渡って日が沈むところに都を建てたとある。浜名寛祐はこれを朝鮮半島の平壌市付近から船出して中国の山東省に至ったものとしたが、上原清二は西の海とは「海漠象変」の前でまだ広大な湖だった頃のタリム盆地（現・中国・新疆ウイグル自治区の広域）であるとし、神祖は中央アジアに都を置いたと解釈している（上原清二「世界の母国」前掲）。

ところで地質学の世界では、1960年代から大陸移動や高山・火山脈形成などを、大陸を乗せた岩盤（プレート）自体の移動や衝突の結果としてシミュレートするプレートテクトニクス理論が広く認められるようになった。大正時代の浜名寛祐や終戦直後の上原清二が依拠している地質学的知見なるものは、当然ながらそのプレートテクトニクス理論に基づくものではない。また、現在の地質学からすると、90年代の佐治芳彦の認識もいささか古めかしいものになってしまっている。

東京大学理学部地球惑星科学学科教授の多田隆治（りゅうじ）氏のグループのシミュレートによると、中央アジアの砂漠化をもたらしたのはヒマラヤ・チベット隆起による湿潤な季節風の断絶だという。その乾燥化は460万年前にはすでに始まっており、約420

万年前にはタリム盆地の乾燥化は完成していたという（東京大学大学院理学系研究科・地球惑星科学専攻HP「地球の過去から環境変動の仕組みを学ぶ」）。

これでは浜名寛祐や上原清二、佐治芳彦がいうように、中央アジアの砂漠がほんの数千年あるいは数万年前まで広大な湖水だったという説は成り立ちようがない。

鹿島昇は、東は海で西は高地の中国大陸の地形からは、東と西の民族対立という構図が生まれるとは考えにくいとした。鹿島は「東西に異民族があって大河流域を争奪したとすれば、ティグリス、ユーフラテスの地域以外は考えられない」とする。

鹿島昇の解釈では、「海漠象変」とは創世記のノアの洪水のモデルとなった古代メソポタミアの大洪水であり、「ノコロ」とはノアの土地という意味で、それが海になったというのは洪水で沈んだことであるとする。また、「洚火の災」とは紀元前3000年頃までのメソポタミアで繰り返された火災や戦乱のことだという。

さらに「費弥国氏洲鑑」とは、聖書でノアの息子の一人とされるハムの子孫の歴史書（ヒミ＝ハム）という意味であるとする。

鹿島昇は『史記』など中国史における漢王朝成立以前の歴史は、古代中東から中央アジアにかけての歴史を中国大陸の歴史に書き換えたものだという借史論（しゃくし）を唱えていた。

鹿島昇によると、たとえば殷（いん）（中国史では紀元前17世紀から前11世紀頃）はイシン（紀元前20～前11世紀頃に栄えたメソポタミア南部の都市国家）、周（中国史では紀元前11世紀頃から前256年）はアッシリア（紀元前2000年頃から前7世紀のメソポタミアで栄えた王国）、孔子（紀元前552～前479）はエリア（紀元前9世紀頃のイスラエルの預言者）、秦始皇帝（在位・紀元前247～前210）はバクトリア（現・アフガニスタン・タジキスタン・カザフスタンにまたがる国家）の王ディオドトス1世（在位・紀元前239～前234）の史実を、中国大陸を舞台に翻案したものだという。

鹿島昇は『契丹古伝』には、中国大陸の歴史として書き換えられる前の古代オリエントの歴史書が原型をとどめた形で資料に用いられていたと考えたのである（鹿島昇『倭人興亡史』2、前掲）。

しかし、鹿島昇の論法は二つの意味で成り立ちにくい。一つは70年代以降の中国における考古学調査で、古代中国における国家の形成に関する史料が充実した。そのため、借史論のようなアクロバットを成り立たせるような余地がなくなったことである（近年の中国における漢代以前の研究動向については落合淳思『古代中国の虚像と実像』2009年、佐藤信弥『中国古代史研究の最前線』2018年、などに詳しい）。

もう一つは『契丹古伝』で語られる東大族vs西族の構図は、メソポタミアではなく、中国大陸を舞台にしなければ意味をなさないものだからである。なぜなら、それは、満洲・朝鮮・日本など中国から見て東方にいる諸民族（『契丹古伝』によれば東大族の子孫）と、漢民族（『契丹古伝』によれば西族の子孫）との対立という近代の民族主義運動から生まれた構図を先史時代までさかのぼらせようとしたものに他ならないからだ。

つまりは、その真の著者は満洲・朝鮮・日本のそれぞれの民族意識高揚と結束とを望むゆえに、漢民族という仮想敵を立てたのである。そして、その真の著者は、その結束が（彼の認識では）清国・朝鮮・日本の共通の敵であるはずの西欧列強に対抗するために役立つことを期待したものと思われる。

『契丹古伝』の作者は清代後期の知日派文人か

『契丹古伝』における東大族の神祖の名を浜名寛祐の訓読によって示すと、アメミ・シウクシフ・スサナミコ（第3章、浜名の解ではアメミは美称、シウクシフは東大族の国王の意味）、もしくはトコヨミカト・イウスサカ（第5章、トコヨミカトは常世国の帝王という意味か）、あるいはスサナアキヒ（第8章）となる。浜名寛祐は神祖について、日本神話ではスサノオもしくはツキヨミ、朝鮮神話では建国の祖・檀君として伝わったものだろうと説いた（浜名寛祐『日韓正宗遡源』前掲）。

神祖＝スサノオ説の根拠はこれらの名前のいずれにも浜名寛祐が「スサ」と訓じた箇所があるからだろう（逆にいうと浜名は神祖がスサノオだという先入観を持っていたから、訓読の際に「スサ」という音を入れてしまった可能性もある）。

『契丹古伝』第5章によると、神祖の直系には、遼河（りょうが）（現在の中国河北省・内モンゴル自治区・吉林省・遼寧省を流れる大河）の西に降臨した一族と、現在の北朝鮮・平壌市に降臨した糸族との二大宗家があり、その他にも東冥（東方の海）に現れた者たちもいたという。

この3系統が降臨したとされる場所から推定して、その子孫はそれぞれ後の満州族・朝鮮民族・日本民族につながるということになる。そして、その3系統がいずれも同じ神祖に連なるということは**満州・朝鮮・日本の各民族は同祖だった**ということになるわけである。

第8章では、神祖から出たとされる子孫が7つの部族に大別されている。浜名寛祐の推定とともに列挙していこう。

1、「安芸（あき）」……日本の古い美称に「あきつしま」があることから日本民族
2、「央委（わい）」……「倭」と通音だが、ここでは日本ではなく馬韓の人すなわち朝鮮民族
3、「陽委（やい）」……山東半島の陽氏で部族連合国家だった殷を構成した有力部族
4、「潢弭（わに）」……殷を構成した有力部族であるとともに日本で「ワニ」と呼ばれた海

5、「伯弭（はくに）」……遊牧民族の貊（はく）族で、日本に渡来して九州の隼人となった洋民族

6、「潘耶（はや）」……貊族から分かれた支族で、朝鮮半島北部に扶余（ふよ）・高句麗を建てた扶余族

7、「淮委（わいい）」……殷を構成した有力部族で、後に朝鮮半島北部・満洲に移って濊（わい）族となる。

浜名寛祐によると、この7つの部族はかつて黄河流域の殷を中心として現在の中華人民共和国が主張する領土と、現モンゴル国の領土、朝鮮半島、日本列島を含む東アジア広域を支配していたという。

しかし、紀元前11世紀、西族の国家である周が、東大族の間に賄賂をばらまいてその和を乱した。さらに西族系の羌（きょう）（チベット族）をも味方につけて殷に攻め入り、その王を殺した。

殷を構成していた主要な部族はちりぢりとなり、ワニ族は東の海の島（すなわち日本）に逃れ、扶余族は北方に移動した。殷の王族は濊族に助けられ満洲の遼河の西に都を移した（中国史で周が朝鮮に殷の王族を封じたとされる箕子（きし）朝鮮のことだが、中国史では箕子朝鮮は今の平壌に都した、とされているため、首都の所在地が中国史と『契丹古伝』で異なる。ま

た、『契丹古伝』では殷の王族は周からの朝鮮王任命を断ったという）。以上が『契丹古伝』第22章から第24章にかけて語られる殷滅亡のいきさつである。

続く第25章・第26章では、貊族の首長と思しき武伯による周への反撃と、ニギシという武将が大船団を率いて武伯を助け、東大族の裏切り者を誅殺したことが語られる（浜名寛祐はニギシについて、日本神話での皇祖神ニニギのことだとする）。

さらにその後、武伯の子孫が二つに分かれ、一方が後に漢王朝を苦しめた遊牧民族の匈奴（きょうど）になり、もう一方が現在の中国甘粛（かんしゅく）省にあった秦に入った。秦は後に秦始皇帝を出して中国大陸に統一国家を作るわけだが、秦がそれほどの実力を持ちえたのは武伯の一族を迎え入れたからだという（第29章）。

周が滅びてからも、東大族による失地回復の戦いは続いた。だが、新たな西族系の国家である漢は手ごわく、ついに中国大陸中心部の奪還はなされなかった。

『契丹古伝』第40章は、「洲鮮記」という書物（実在したかは不明）からの引用という体裁で書かれている。その内容は朝鮮半島で東大族の遺風を伝えていた馬韓が滅びた後、「洲鮮記」の著者が平壌にあった馬韓の首都の廃墟で、かつての東大族の栄光を偲び、嘆くという文章である。

第40章は「またそぞろに真人の興るを俟つのみなり」（今はただ、かつての民族の栄光を取り戻してくれるような真の聖人が現れてほしいと待つしかない）という文で締めくくられている。

第41章から第46章は、先に述べた遼の太祖の御世の奇瑞と『契丹古伝』編纂のいきさつを語るものなので、構成上は、遼の太祖こそが、「洲鮮記」でその登場が予言された真人である、と暗示する構成となっている。

たしかに遼建国は、その後にモンゴル族の元（1271～1368）や満洲族の清（1616～1912）などの遊牧民族国家による中華支配の先駆である。それに、『契丹古伝』の東大族系民族と漢民族の対立という歴史観にのっとっていえば、東大族系民族による失地回復の嚆矢といえるかもしれない。

「海漠象変」「洚火の災」の天変地異記事は、『契丹古伝』の歴史観を成り立たせるために、東大族の地であった東アジアになぜ西族が侵入したか、その原因となった混乱のさらに原因を説明するためのものであった。

『契丹古伝』第21章の天変地異記事は、あくまで東大族vs西族という構図を描くための話の枕であった。そう考えると、この壮大なはずの話が、それ自体として膨らまされることなく、あっさり西族との戦いへと話題が移ってしまうのも納得できる。

さて、『契丹古伝』自体が語る成立年次をそのまま認めると、それは耶律羽之が没後に自ら遼朝に上奏したものとなってしまう。したがって耶律羽之編という主張をそのまま認めることはできない。

また、浜名寛祐は『契丹古伝』について5つの不審点があるとする。

1、『契丹古伝』では東大神族（東大族）の主流を受け継いだのは馬韓であるとしているが、その馬韓と契丹の関係は『契丹古伝』の中では説明されていない。『契丹古伝』で馬韓の後継国家とされるのは契丹に滅ぼされた側の渤海である。

2、『契丹古伝』では、東大神族の各部族の中で契丹はどの系統の流れを汲むものかさえ説明されていない。

3、『契丹古伝』では匈奴が好意的に語られている。しかし契丹はもともと匈奴に敗れて移動した人々の末裔であり、契丹の伝承で匈奴が讃えられることはありえない。

4、第40章で馬韓の廃墟を見て古を偲ぶというのは、馬韓の後継国家とされる渤海の視点でなら理解できるが、渤海を滅ぼした契丹の視点から読むとおかしい。

5、『契丹古伝』に出てくる「神頌」は、正史『三国志』に出てくる馬韓の語句とよく似ている。これも馬韓の後継国家に伝わったものというならわかるが、契丹が自分たちの詩だと言い張るのはおかしい。

以上について、浜名寛祐は『契丹古伝』は東丹国で押収した渤海の史料をそのまま引用したために生じた現象だとしている（浜名寛祐『日韓正宗遡源』前掲）。しかし、浜名寛祐がこれだけ疑問を並べるということは、『契丹古伝』が浜名自身にとっても謎めいた文書だったことの表れではないか。

浜名寛祐自身が『契丹古伝』を偽作したなら、契丹による渤海の史料の編集などという回りくどい体裁ではなく、わかりやすく渤海の史書として書いたはずだと推測できる。

決定的なことはいえないが、私は『契丹古伝』は、耶律羽之の編纂でも、浜名寛祐による偽作でもなく、おそらくは清代後期の知日派の文人によって書かれたものが、日露戦争時のどさくさで浜名の手に入ったものと推測している。

明治時代の日本と清国は朝鮮李朝の処遇をめぐって対立していた。清国は、李朝を、あくまで清国の冊封(さくほう)体制（中華と国交を有する国の君主が、中華の皇帝との間に名目上の君臣関係を結ぶ制度）に従う属国という扱いにしていた。

一方、日本国内では李朝に対して独立国として遇しながら近代化を助けるべきだという議論と、朝鮮半島を日本領土とすべしという議論が対立していた。そのどちらの主張が実現するとしても、清国による朝鮮半島への支配力は削(そ)がれることになる。

朝鮮半島内でも、李朝朝廷を中心に清の冊封を堅持しようという勢力と、日本に学んで近代化を進めつつ日本と清国のどちらの支配からも逃れようという親日派知識人との対立があった。

この三国それぞれの内部抗争をも含めた対立は、朝鮮国内での親日派粛清や日清戦争（１８９４〜１８９５）、日韓併合（１９１０年）という不幸な事態を招く。それはさておき、清国内にも少数とはいえ朝鮮李朝の独立を認め、日本の手法に学んで清国の近代化を進めるべきだとした知識人はいた。

たとえば清国の改革派官僚として活躍しながら、自らの日本歴史・文化研究の成果を『日本国志』（１８８７年完成・１８９５年刊行）としてまとめ、対朝鮮外交政策についても独立支持の立場をとった黄遵憲（こうじゅんけん）（１８４８〜１９０５）のような人々である。『契丹古伝』の真の作者は、そのような清国内でも少数派の知識人だったのではないか。清・朝鮮・日本の独立国連合による西欧列強への対抗を構想する人物が、清朝を建てた満州族と朝鮮民族・日本民族の同祖を主張し、過去におけるその共通の祖先と「西族」との対立を想像するというのはありそうに思える。

余談だが、浜名寛祐の史学上の門人で弁護士だった有賀成可（せいか）（号・極光）という人物は、東大族の統治領域について、「山東省から西方は亜細亜トルコに及び北原（ママ）はバイカル湖から北は越南に及んだものと解する」と述べている（有賀極光「素神は支那中国の開素也」『神日本』昭和十六年四月號・１９４１年４月、「越南」はベトナムのこと）。

また、有賀成可は、古代の中央ヨーロッパの戦闘民族で、ボヘミア（現・チェコ共和国中西部）やババリア（現・ドイツ連邦共和国バイエルン州）の地域名の由来となったボイイ族について、次のように記している。

〈ボイイ族について更に言ひたい事は、ババリア民団出のヒットラーが必ずこの血液を享けて居る者であらうといふ事だ。かくてムス氏の血液はヒットラー伝統までつながつてゐるやうだ〉（有賀極光「ウムスビと神」『神乃日本』昭和十二年十二月號・1937年12月、「ムス氏」とは東大族のこと）

有色人種差別主義者だったアドルフ・ヒトラーが、自分の祖先が満洲・朝鮮・日本民族と同祖だと言われて喜ぶとは思えないが、昭和10年代の日本には、自分たちの血脈がヒトラーにつながることを想像して誇らしそうに語る人もいたのである。

疫病鎮めと病気治しで読み解く『秀真伝』

三輪山型神婚説話で、神が蛇の姿で現れるわけ

正史における日本最初の疫病、それは初代・神武天皇から数えて第10代の崇神天皇（『日本書紀』では在位紀元前97年から前30年）の御世に起きたという。『古事記』（序文によれば７１２年完成）によると、崇神天皇の御世に疫病が流行し、民が死に絶えそうになった。天皇は嘆いていたが、ある夜、床に就いていると、オオモノヌシ（大物主大神）が夢に現れ、「この疫病は私の意志である。オオタタネコ（意富多多泥古）に私を祭らせたなら神気（たたり）が起ることはなく国は平和になる」と告げた。

そこでオオタタネコという人を探したところ、河内の美努村（みぬ）（現・大阪府八尾市上之島町方面か）で見つかったので天皇の前に召し出した。

オオタタネコに素性を問うたところ、オオモノヌシから五代目の子孫であることが判明したので、彼を神主に任命し、御諸山（みもろやま）（現・奈良県桜井市の三輪山）でオオモノヌシ

を祭らせた。すると疫病は止み、国は康らかとなった。

それより昔、イクタマヨリビメ（活玉依美売）という美女がいた。たぐいまれな美男が夜ごとにイクタマヨリビメの寝所に通い、彼女は妊娠した。両親は男の素性を確かめるために、今夜、男が来たらへそ（糸巻）の糸に針をつけて男の衣の裾に刺せ、と言った。

イクタマヨリビメがその通りにして翌朝見ると、その糸は鍵穴を抜けて家の外に伸び、へそには糸が3巻ほど残っているだけだった。それで男は鍵穴を通ってイクタマヨリビメの寝所に行き来していたことがわかった（鍵穴を通るほど細いということで、男の本体が蛇であることが暗示される）。

その糸を追いかけていくと、美和山（三輪山）の神社にまで続いていた。それで通っていた男は三輪山の神であることがわかった。イクタマヨリビメから生まれた子の子孫がオオタタネコであり、それゆえにオオタタネコも神子（神の子孫）と呼ばれていた。

以上、『古事記』には、史上初の疫病は三輪山の神オオモノヌシが自分を祭らせるために起こしたものだと記されている。一方、日本最初の正史（朝廷が公認した歴史書）とされる『日本書紀』（720年完成）は『古事記』とは異なる伝承を交えながら、より詳細にオオタタネコが神主となったいきさつを語る。

『日本書紀』は崇神天皇5年（紀元前93年）、疫病で民の大半が死んだと伝える。その翌年には多くの民が住むところを失ってさまようようになり、朝廷に叛（そむ）く者も出てきた。

崇神天皇7年（紀元前91年）2月、天皇は、自分の世に災害が多いのは善政を行っていないことを神々が罰しているのだろう、その原因を明らかにしなければならないとして、占いの儀式を行った。

その時、皇族のヤマトトトヒモモソヒメ（倭迹迹日百襲姫命）に神がかかり、自分を祭れば自ずと平和が訪れると告げた。天皇がその神の名を問うと、オオモノヌシ（大物主神）と答えた。

天皇は自らオオモノヌシを祭ったが、何の効果も現れない。そこで夢で占うことにした。

天皇のその夜の夢に、オオモノヌシを名乗る高貴な人物が現れ、「天皇よ、愁（うれ）うることなかれ。国が治まらないのは私の意志である。私の子オオタタネコ（大田田根子）に私を祭らせたならば国が平和になるだけでなく海外の国も自ずと天皇に従うようになる」と告げた。

その年の8月、ヤマトトトヒモモソヒメと二人の重臣が3人そろって天皇と同じ夢を見た、と報告してきた。天皇は自分の夢占いが裏付けられたと喜び、オオタタネコを探させた。

オオタタネコは茅渟県陶邑（ちぬのあがたすえむら）（現・大阪府堺市の陶器山丘陵方面）で見つかった。その素性を問うたところ、オオモノヌシの子であることを認めた。

11月、オオタタネコを、正式にオオモノヌシを祭る神主に任命した。また、その他の神々についても祭る社を整備した。すると疫病が終息し、農作物もよく実って人々の暮らしは豊かになった。

崇神天皇8年（紀元前90年）4月、高橋邑（たかはしむら）（現・奈良県奈良市八条）の人イクヒ（活日）を掌酒（さかびと）（神を祭る酒の管理者）に任命した。その年の12月、天皇はオオタタネコにオオモノヌシを祭らせた。イクヒは自ら神に酒を捧げ、それを天皇にも献上した。

その後、ヤマトトトヒモモソヒメはオオモノヌシの妻となったが、夫は夜、彼女を訪ねて来るだけだった。ある夜、ヤマトトトヒモモソヒメが夫に明日の朝は姿を見せてほしいと願うと、オオモノヌシは櫛笥（くしげ）（櫛を入れる箱）に入っているが、姿を見ても驚くな、と告げた。

翌朝、櫛笥を開けたヤマトトトヒモモソヒメは、中に美しい蛇がいるのを見て驚いた。オオモノヌシは蛇から人の姿に変わると、約束したのに恥をかかされたと怒って空を飛び、御諸山（三輪山）に帰ってしまった。

ヤマトトトヒモモソヒメは嘆いて腰を落とした弾みに箸で女陰を突き、その怪我が

箸中山（箸墓）古墳全景（2019年撮影）

もとで死んでしまった。ヤマトトトヒモモソヒメの墓は、昼間は人が働き、夜は神が働くほどの大工事で築かれた。

その墓を箸墓という（箸墓は現・奈良県桜井市箸中にある箸中山古墳のこととされる。墳丘の全長２８０メートル近くの前方後円墳）。

以上、『日本書紀』ではオオタタネコはオオモノヌシの子孫ではなく実子とされる。また、三輪山の神と婚姻を語る説話の主人公も、『古事記』ではイクタマヨリビメであるのに対し、『日本書紀』では皇族のヤマトトトヒモモソヒメとされている。

なお、『日本書紀』のオオモノヌシの神託では、海外の国の服属について予言されている。『日本書紀』第11代垂仁天皇（在位は紀元前19年～紀元70年とされる）の条では、加羅や新羅など朝鮮半島の国々の王子が来朝、帰化したことが記されている。おそらくはそれらの記事が、オオモノヌシの予言の成就として想定されているのだろう。

オオタタネコは『日本書紀』では三輪君の祖、『古事記』では神君（三輪君と同じ）、鴨君（かものきみ）（加茂氏、現・奈良県御所市方面を発祥の地とし、賀茂信仰に関わった氏族）の祖とされる。

三輪君は、三輪氏、大三輪氏、大神氏ともいう。もともとは三輪山の祭祀をつかさどり、ヤマトの王権の拡大にしたがって日本各地で神職として定着した。

『古事記』のイクタマヨリビメ、『日本書紀』のヤマトトトヒモモソヒメは、一方は神の子を産むという（子孫にとっての）ハッピーエンド、もう一方は悲劇的な最期と異なる結末を迎えている。だが、夜ごと訪ねてくる神と婚姻し、その素性を確かめるという展開では共通している。

このタイプの話は「三輪山型神婚説話」と呼ばれ、日本国内では三輪氏の拡散とともに各地に広まった。たとえば平安末期から鎌倉時代初期の豊後国の武将・緒方三郎惟栄（これよし）は祖母岳（現・大分県・宮崎県の県境）の神である大蛇と地元豪族の姫君の間に生まれたと称されていた（原田実『幻想の多元的古代』2000年）。

蛇は、脱皮によって古い表皮を脱ぎ捨てることから若返りと再生の象徴と見なされていたようである（吉野裕子『蛇』1979年、『日本人の死生観』1982年）。また、人の男性器を思わせる頭部の形や、全身でからみつくさまはエロティックな連想をもたらす（水谷勇夫『神殺し・縄文』1974年）。

三輪山型神婚説話では、再生のシンボルとしての蛇信仰を背景に、女性のもとに神が通うというエロティックな内容から、神が現す姿として蛇がふさわしいと考えられたのだろう。

さて、記紀ともに5世紀頃までの記述は記録に基づいて書かれた歴史というより伝承を編者が構成し直した伝説といってよい。特に『古事記』は一応、推古天皇（在位593～628）のことまで記述しているが、新しい時代の天皇については系譜と宮や御陵の所在程度の記述になっており、詳しい事蹟が記されるのは5世紀末頃とされる顕宗天皇・仁賢天皇までである。

つまりはその歴史的叙述に見えるものはすべて伝説と言ってもよいほどだ。特に崇神天皇の御世のこととなると、登場人物の実在は崇神も含めて疑わしく神話といってもよいかもしれない。オオタタネコも例外ではない。

その神話的な人物であるオオタタネコが著したとされる書物が現代まで伝わっている。それが本項のテーマ『秀真伝（ほつまつたえ）』である。

古代や中世の遺跡・文献からヲシテは発見されていない

『秀真伝』は、全文がヲシテもしくは秀真文字と呼ばれる特異な表音記号で書かれ、五七調の歌の形で歴史を叙述した全40紋（章）の書物である。ヲシテで書かれた書物としては他に『三笠文（みかさふみ）』『太占（ふとまに）』と呼ばれるものがあり、総称してヲシテ文献とも呼ばれる。

ヲシテ文献はもともとオオタタネコの末裔を称し、安永年間（1772〜1781）頃に活躍した近江の神道家・井保勇之進（和仁估容聡、三輪容聡などとも称する）が所持していた文献だった。

伊予国宇和島（現・愛媛県宇和島市）出身で、京都の天道宮という神社の宮司だった小笠原通当（1792〜1854）は、近江高島郡の三尾神社（1913年に神社合併のため失われる）に井保勇之進が奉納していた『秀真伝』写本を見つけ、嘉永2年（1849年）に『秀真伝』に基づいて『日本書紀』の神代について註解した『神代巻秀真政伝』全10巻を著した。なお、通当と『秀真伝』の出会いについては天保元年（1830年）説と、文化年間（1804〜1818）説がある。

天道宮は現存では日本最古の神社目録である「延喜式神名帳」（927年編纂）にも「左京二条坐神社」として出てくる古社だったという。小笠原通当はさらに『秀真伝』以外のヲシテ文献も入手した。

小笠原通当の次男で天道宮を継いだ小笠原通孝（1843〜1868）は勤皇の志士だったが、西郷隆盛（1828〜1877）らの支持を得て結成された赤報隊に加わった。そのため、赤報隊が偽官軍の汚名を着せられた際に新政府軍に捕らえられて処刑された。これにより天道宮も廃絶する。

しかし、ヲシテ文献は、天道宮廃絶前に小笠原通当の甥の小笠原長弘（ながひろ）（１８３０～１９０６）によって書写されていた。長弘はその写本を宇和島に持ち帰っており、以降、ヲシテ文献は宇和島の小笠原家で守られることになる。

小笠原長弘は明治７年（１８７４）、『秀真伝』の写本を宮中に献上しようとしたこともある。長弘の没後は長弘の甥の小笠原長武（１８５１～１９２１）がヲシテ文献の研究を引き継いだ。

昭和41年（１９６６）８月、『現代用語の基礎知識』創刊にも関わった名編集者の松本善之助（よしのすけ）（１９１９～２００３）は神田の古書店で見たこともない文字で書かれた本を買った。それは小笠原長弘が宮中に献上するために書写した『秀真伝』の一部だった。

松本善之助はその出処を調査し、宇和島市の小笠原家にたどり着いて『秀真伝』全文と『三笠文』の一部および『太占』の存在を確かめた。この松本によるヲシテ文献再発見で、『秀真伝』は古史古伝ファンの間に広く知られるようになっていったのである。

松本善之助は『秀真伝』に出てくる「アマナリノミチ」という用語に着目した（「天成神道」という文字をあてた研究者もいる）。

「アマナリノミチ」は天地開闢（かいびゃく）の原理から人間の道徳の基礎まで含む広範な概念だが、松本善之助はそれを万物が循環するのが自然の理であり、人間もそれに従うべきであるという考え方だと解釈した。そして「アマナリノミチ」は現代のエコロジー（生態学）の先駆であり、環境破壊から地球を守る教えでもあるとして『秀真伝』をはじめとするヲシテ文献は世界を救うものだと唱えたのである（松本善之助『ホツマ入門』1979年）。

松本善之助は『秀真伝』をはじめとするヲシテ文献が実際に古代日本で書かれた記録であると信じ、それらの漢訳が『日本書紀』編纂の原史料になったと主張した。松本による再発見以降のヲシテ文献研究者の多くは松本の影響下にあったため、彼らの間でもヲシテ文献を古代のものと見なす傾向は長らく共有されていた。

特に松本善之助の直接の門下として、その研究を継承した池田満（みつる）氏は、ヲシテ文献こそ縄文時代以来、あるいはそれ以前からの外来思想の影響を受けない日本古来の思想であることをいくつもの著書で強調している（たとえば池田満『縄文人の心を旅する』2003年、『よみがえる縄文時代イサナギ・イサナミのこころ』2013年、他）。ただし、縄文時代を含む古代・中世日本の遺跡・文献にヲシテが発見された例は今のところ一切ない。

『秀真伝』のテキストとして刊行されたものには、吾郷清彦『日本建国史・全訳ホツマツタヱ』（1980年）、鳥居礼『完訳秀真伝』上下（1988年）、鏑（かぶら）邦男『ほつまつたゑ』（1998年）、松本善之助監修・池田満編『定本ホツマツタヱ』（2002年）などがある。

もともと歌道と神道の秘伝書として書かれた

『秀真伝』は序文によれば、オオタタネコ（『秀真伝』では「ウタタネコ」「タタネコ」とも呼ばれる）が景行天皇53年（『日本書紀』によれば123年）、234歳の時に編纂して天皇に上奏したものだという。その前半は神武天皇（『日本書紀』によれば在位紀元前660年から前582年）の御世にオオモノヌシによって書かれ、後半はオオタタネコが書き継いだとされる。

『三笠文』は『秀真伝』と対になる文献としてオオカシマにより書かれた。オオカシマは『日本書紀』では「大鹿島命」と表記され、中臣氏の祖で垂仁天皇（在位紀元前27年～紀元70年）の臣の一人とされている。『秀真伝』ではオオタタネコは「剣の臣」、オオカシマは「鏡の臣」として、天皇をともに補佐する重臣だったという。

『秀真伝』第30紋では、国家を「ミヤコトリ」という鳥にたとえ、その首に当たるのがキミ（天皇）で、鏡の臣と剣の臣は両翼、体をかたちづくるのが民であると歌われている。

つまり、オオタタネコとオオカシマは対になるべき臣であり、その著作もまた同様の関係にあったというわけだ。しかし、『三笠文』は小笠原家に伝わった分や、松本善之助や池田満氏の探索で、京都の龍谷大学図書館や山梨県の旧家などから出てきたものを合わせても一部しか見つかっていない（完成しなかった可能性もある）。

ちなみに古代史評論家の佐治芳彦は『秀真伝』の「アマナリノミチ」に共感しながらも、この第30紋の天皇中心思想には「いささかゲンナリせざるをえない」という感想を漏らしている（佐治芳彦『謎の秀真伝』1986年）。

『太占』は神代にアマテルが編纂した歌集にオオタタネコが序を付し、さらに吉備真備（きびのまきび）（695〜775、唐から陰陽道を伝えたという学者にして右大臣も務めた官僚）が漢字で訳註を加えたという占いのテキストである。

アマテルは記紀のアマテラスに当たる皇祖神だが、記紀のアマテラスが女神なのに対し、ヲシテ文献のアマテルは12人もの后妃がいた男神だったとされている。

記紀の歴史叙述が天地の始まりから時系列順に進んでいくのに対し、『秀真伝』の叙述は必ずしも時系列順に沿っていない。たとえば『秀真伝』の第1紋は和歌の女神であるワカヒメの生い立ちに関する説明と、ワカヒメが歌の力で田畑の害虫を祓ったことに関する説話と、ワカヒメが結婚するに当たってのいきさつの説明から成っている。天地開闢に関する記述は、第2紋以降で折に触れて語られるという形になっている。

これは『秀真伝』がもともと歴史書というより歌道(かどう)（和歌を詠むための学芸や作法）と神道の秘伝書として書かれたためだと思われる。作者が、人が師から秘伝を学ぶのになぞらえて、神も他の神から神々の世界の秘伝を学ぶという物語を作ったため、天地開闢を含むさまざまな故事が、師や親に当たる神から弟子や子に当たる神へと伝授された内容として語られることになったのである。

ちなみにワカヒメは記紀で、イザナギ・イザナミ（ヲシテ文献ではイサナキ・イサナミ）の間に生まれたヒルコに当たる。だが、記紀のヒルコが男神もしくは性別不詳なのに対して、『秀真伝』のワカヒメは明確に女神とされる。

『秀真伝』の歴史叙述は景行天皇（『日本書紀』では在位71年～130年）の東国巡行で終わる。その巡行は東国平定の帰途に逝去した景行の皇子ヤマトタケ（記紀のヤマトタケル）の足跡をたどり、その生前の姿を偲ぶためのものだったとされる。

オオタタネコとオオカシマは東国から帰ってきた景行のために、昔からの神々の教えをそれぞれまとめて献上した。それが『秀真伝』と『三笠文』だというのである。

『秀真伝』と近松『日本振袖始』の共通点

江戸時代の劇作家・近松門左衛門（1653～1725）の作品に『日本振袖始(にほんふりそではじめ)』（1

718年初演）という浄瑠璃がある。

記紀神話に題材をとりつつ、アマテラスの孫のニニギと、アマテラスの弟のスサノオの間にコノハナサクヤヒメをめぐる恋争いを設定した。ニニギとの争いに敗れて出雲に流されたスサノオが、ヤマタノオロチのいけにえにされようとしたイナダヒメを助けて大蛇を退治し、イナダヒメと結ばれてニニギと和解するまでを描いた戯曲である。

その中で、スサノオが、オロチの毒気に当てられて高熱を発したイナダヒメを助けるために、その着物の「閉じたる左右の袖下さらりさらりとたつ」（服の袖の脇の下に当たる箇所を切って風を通す）というくだりがある。

江戸時代の日本では、若い女性の衣服として脇の下に切り込みを入れ、袖を長く垂らして風を通す振袖が普通だったが、近松門左衛門はそれについて、衣服に熱がこもらないように神代のスサノオが提案したという起源説話を作ったわけである。『日本振袖始』という表題もこのくだりから来ている。

ところがこれと同じ話が『秀真伝』で、ソサノヲ（記紀のスサノオ）とイナダヒメの話として登場してくるのである。

『秀真伝』第9紋は、高天原を追放されたソサノヲが出雲でイナダヒメと結ばれた経緯と、その二人の間に生まれたオオナムチが出雲を治めるにいたるまでを語るものである。その一節でオロチの毒気に当てられたイナダヒメをソサノヲが助けるくだりがある（もちろんその直後にはオロチ退治の展開もある）。

イナダヒメ　ヤメルホノホノ
クルシサオ　ソデワキサキテ
カゼイレバ　ホノホモサメテ
ココロヨク　ワラベノソデノ
ワキアケゾ

（イナダヒメが病のために炎のような高熱を出して苦しんでいたが、その服の袖の脇のあたりを裂いて風を入れると、炎のような高熱も冷めて心地よく過ごせるようになった。童女が振袖を着るのはこれに由来する）

○『日本振袖始』ではヤマタノオロチの正体は、ニニギに恋情を抱きながら受け入れられずに嫉妬したイワナガヒメとされる。『秀真伝』ではオロチの正体はソサノヲと密通して宮中を追放され、その後はソサノヲに近づく女性に嫉妬し続けたアマテルの妃の一人とされている。ともにオロチを嫉妬にとらわれた女性（女神）の化身とすることでは共通する。

○『日本振袖始』には人に化身した魔物の正体を映す鏡が出てくる。『秀真伝』第8紋には魔物と戦う神々の軍が鏡を使って敵の正体を見表す箇所がある。
○『日本振袖始』にも『秀真伝』第8紋にも、神々との戦いに降伏した魔物が血判を押して、二度と反抗しないことを誓う場面がある。

これらの一致が偶然にそろうとは考えにくい。私はかつて『秀真伝』と『日本振袖始』には共通の原典があって、近松門左衛門がなんらかの手段でその原点を読んでいた可能性を示唆した（原田実『もう一つの高天原』1991年）。

しかし、現時点での私は『秀真伝』は『日本振袖始』の振袖起源譚を近松門左衛門の創作と知らずに取り入れたと考えるのが妥当だと判断している。その理由については後に改めて述べたい。

ヲシテ文献の思想は儒教や仏教の影響を受けていた

オオタタネコが崇神天皇に見出され、疫病を鎮めたいきさつは『秀真伝』第33紋で語られる。その内容は『日本書紀』と酷似している。

松本善之助は、『秀真伝』と『日本書紀』で内容が類似した箇所があるのは、『秀真伝』の漢訳が『日本書紀』編纂の際の資料に使われたからだと説いていた。だが実際には、『秀真伝』の方が『日本書紀』を下敷きにしたと考えるべきだろう。
ところで、『秀真伝』には崇神の御世の疫病の原因について『日本書紀』にない記述がある。

コレツミビトノ　シヰトドム
エヤミナスユエ　ウスエフカ
ヲトミカシマト　タタネコト
タマカエシノリ　マツラシム
（疫病の原因は、罪を犯した人々の「シヰ」が大地にとどまっているからであった。そこで崇神天皇9年の4月22日に大臣のオオカシマとオオタタネコとで「タマカエシノリ」を用いて祭りを行い、その罪を清めた。「エヤミ」は疫病、「ウスエフカ」は『秀真伝』の暦の表現で、4月22日のこと、「ヲトミ」は大臣の意味）

ここでヲシテ文献独特の用語である「シヰ」が出てくる。ヲシテ文献の霊魂観では、人間の霊魂・精神は、天に由来し、記憶や思考をつかさどる「タマ」と、地に由来し、欲望や情動をつかさどる「シヰ」から成るとされる（池田満『ホツマ辞典』1999年）。

欲望のままに罪を犯してきた人の「シヰ」が地面にとどまり、長年の間に積み重なることで、人の体調が狂うのが疫病発生の原因となる。そこで当時の大臣だったオオカシマと、神官のオオタタネコとで、「タマカエシノリ」（魂返し法、すなわち鎮魂法）を用いて、その大地に染みついていた罪を祓い清めたというわけである。

霊魂を意味する日本語には「たま」と「たましい」がある。「たま」だけでも霊魂を意味するのに、なぜ、わざわざ2音も多い「たましい」という用語が別に用いられる必要があるのか。実はこれは難しい問題である。

Webでちょっと検索しても、「たましい」は「たま」の火という意味で本来は人魂のことだったのだろうとか、「たま」に活動するという意味の接尾辞がついて「たましい」となったのだろうといったこじつけめいた語源解釈が次々出てくる。

ヲシテ文献の作者は「たましい（たましゐ）」を「たま」と「しゐ」に分けて、霊魂はその二つの要素から成ると解釈したものと思われる。そこでヲシテ文献以外に用例のない「しゐ」という用語が新たに作られたというわけである。

人の霊魂が複数の要素からできており、一部がその人の死とともに体から離れても、他要素が遺体（およびその遺体を収めた墓）にとどまるという考え方の典型は、古代エジプトにあった。古代エジプト人が遺体の保存のためにミイラを作ったのは、いったん体を離れた霊魂の一部が元の体にまた帰ってきて復活するのに備えてであった。それに、墓の内部を装飾したり、墓に豪華な副葬品を収めたりしたのは、遺体に残っている方の霊魂が死後も安楽に過ごせるよう配慮してのことだった。

古代中国では、人間には、死後に天に帰する魂と地に帰する魄という二つの霊魂があり、魂が天（もしくは死後の世界）に去った後も、魄は遺体にとどまって墓の中から子孫を見守ると考えられていた。

中国では風水という建物や墓の場所や構造から吉凶を占う技法がある。その中で墓が重視されるのは、祖先の魄がとどまっている墓が子孫の盛衰に影響を及ぼすと考えるからである。この中国の魂魄の考え方は、主に儒教を介して日本に伝わった（加地伸行『儒教とは何か』１９９０年）。

ヲシテ文献の作者は漢語「魂魄」と日本語「たましい（たましゐ）」を対応させた上で、「魂」の一字を「たま」と訓じたのだろう。したがって「魄」には、「たましい（たましゐ）」マイナス「たま」、すなわち「しい（しゐ）」が対応することになる。ヲシテ文献独特の用語である「シヰ」はこのようにして作られたと思われる。

また、「タマカエシノリ」による祭、すなわち死者の鎮魂を行うことで、今生きている人の難を逃れることができるという考え方は、仏教の追善供養に通じるものがある。

ヲシテ文献の思想は松本善之助や池田満氏が主張するように外来思想の影響を受け

ない日本古来のものではなく、儒教や仏教の強い影響下にあったものと考えてよいだろう。

病気治しを教義とする新興宗教が依拠した「古典」だったか

ヲシテ文献の歴史について、井保勇之進の手によって世に出される以前から存在していたことを裏付ける史料はない。井保勇之進こと和仁估容聡について、『高島郡誌』（滋賀県高島郡教育会編、1927年）の序文例言は次のように記す。

〈寛文の頃佐々木氏郷あり、安永の頃和仁古容聡あり、ともに本郡神社の由緒を偽作せり。（中略）容聡は修験者なり。他国より来り。安曇村大字田中字横井川に住す。本名は井保勇之進と云ふ〉

つまり、ここに「他国より来り」とあるように、井保勇之進はもともと近江の出身でさえなかったが、横井川（現・滋賀県高島市安曇川町田中方面）に住みつき、神社の由緒書を偽作していたというのである。

井保勇之進と並んで名が挙げられている「佐々木氏郷（うじさと）」とは『江源武鑑（こうげんぶかん）』

『倭論語(わろんご)』『大系図』などを偽作した沢田源内(げんない)（1619〜1688）のことである。江戸時代の古文書偽作といえば最近では現・京都府木津川(きづがわ)市にいた椿井政隆が作ったとされる通称「椿井文書」が話題になっている（馬部隆弘『由緒・偽文書と地域社会』2019年、『椿井文書』2020年）。

江戸時代の近畿地方には、沢田源内や椿井政隆のような古文書・古記録偽作の常習者が暗躍していた。そして井保勇之進もまた、その職業的偽作者の一人だったのである（原田実『偽書が揺るがせた日本史』2020年）。ヲシテ文献も井保の作品と見なすのが妥当だろう（原田実『偽書が描いた日本の超古代史』2018年、『天皇即位と超古代史』2019年）。

三尾神社で井保勇之進奉納の『秀真伝』を見つけた小笠原通当については、京都の日記や自伝が宇和島市の小笠原家に伝わっていた。その自伝によると通当が14歳の時に母ののどに腫物ができ、医者から数日の命と宣告されたことがあったという。

小笠原通当が一心不乱に祈ったところ、その腫物から膿が流れ出して病は快癒した。これを機に神の道に生きると決意した通当は京都に出て、複数の師から儒教と神道を学び、文政2年（1819）に天道宮の神主となった。

小笠原通当は天道宮を式内社（延喜式神名帳に出てくる神社）だと主張していた。しかし、通当の想定した「左京二条坐神社」は早い時期に廃絶しており、今では正確な所在さえ判然としない。

また、京都市には天道神社（現・京都市下京区仏光寺通猪熊西入）という平安遷都（794年）以来という古社があるが、その神社と天道宮の関係も判然としない。

天道宮は古くからの神社ではなく事実上、小笠原通当が創始した、いわば新興宗教だったのではないか。ヲシテ文献は通当の手に渡ることで、天道宮の教義作りに利用されたと思われる。

小笠原通当が母の病気と快癒をきっかけに信仰に入ったと称していたことから、その教義に病気治しの要素があったことがうかがえる。

古代に疫病鎮めを行ったとされるオオタタネコに仮託された『秀真伝』は、病気治しを教義とする新興宗教が依拠するのにおあつらえ向きの「古典」だったのかもしれない。

また、宇和島でヲシテ文献を守った小笠原長武（ながたけ）は、鳥居礼訳註『神代巻秀真政伝』解説（1992年）によると、ヲシテ文献を研究しただけではなく、「病気平癒や憑物の祓（はらい）にもその力を発揮し、あらゆる難病奇病を治した事が伝へられている」人物だったという。小笠原家でのヲシテ文献継承は、長武の代まで病気治しと結びついていたのである。

私は以前からヲシテ文献について松本善之助の呪縛から離れ、近世の成立であることを認める立場からの研究がなされるべきだと主張してきた（原田実「『秀真伝』は三度甦る―偽史列伝18―」『季刊邪馬台国』第87号、2005年4月）。

最近では、東大阪大学講師の吉田唯（ゆい）氏が『神代文字の思想』（2018年）、『神仏習合の手法』（2020年）などの著書で、松本善之助の古代成立説に呪縛されることなく、ヲシテ文献を近世思想史の中に位置づける試みを行っている。

津波から読み解く『東日流外三郡誌』

遮光器土偶の人気に便乗して、アラハバキのご神体に

『東日流外三郡誌』とは、寛政年間（1789〜1801）、三春（現・福島県田村郡三春町）領主・秋田家の親族である秋田孝季と、義弟で津軽飯詰（現・青森県五所川原市飯詰）の庄屋でもある和田長三郎吉次が編纂した文書を、吉次の子孫が明治期に書写したものだという。

『東日流外三郡誌』の所蔵者・和田喜八郎（1927〜1999）はこの長三郎吉次の子孫を称していた。和田喜八郎は、自分の家にも『東日流外三郡誌』以外にも秋田孝季・和田長三郎吉次らが編纂した文献が多数あると主張しており、それらを総称して和田家文書という。

『東日流外三郡誌』が一般に知られるようになったのは、昭和50〜52年（1975〜77）、青森県市浦村（現・五所川原市）が『市浦村史資料編・みちのくのあけぼの―東日流外三郡誌―』全3巻として活字化し、刊行してからである。その後は市浦村版より

もさらに内容を増補した『東日流外三郡誌』や、『東日流外三郡誌』以外の和田家文書を活字化したものも、ぞくぞくと出版された。

なお、市浦村版『東日流外三郡誌』の時点では、現存するテキストは秋田孝季・和田長三郎吉次が書いた現物だとされていたが、後になってから、明治期に和田喜八郎の曽祖父が写した写本という設定に改められた。

さて、『東日流外三郡誌』の内容を整理すると次のようになる。

遥かな昔、津軽の地に最初に現れたのはアソベ（阿蘇部・阿曽部・阿蘇辺）族と呼ばれる人々だった。彼らはまだ日本列島と地続きだった北の大陸から、歩いてやってきたのである。

アソベ族は農耕を知らず、獣を狩り、木の実や魚貝類を採って暮らしていた。また、彼らは自然に湯が湧くところを好み、活火山の阿蘇部山（現在の岩木山）を聖域としていた。祭の日には少女をいけにえとして火口に投じることも行われていたという。

しかし、そこに東の大陸（アメリカか？）から新たに渡来した一団があった。ツボケ（津保化）族という。ツボケ族は馬を乗りこなし、たくみな戦法でアソベ族を山地へと追い上げていった。

また、ツボケ族は土器を作る技術を持ち、体に刺青（いれずみ）を入れる習慣があった。アソベ族はツボケ族との競争や阿蘇部山の噴火のために次第に滅びていった。

紀元前7世紀頃、津軽の地に新しく二つの勢力が入ってきた。

一つめの勢力は中国での春秋の動乱を逃れた晋（現・中華人民共和国山西省の古代国家）の公子（王族）たちである（中国正史の『史記』は紀元前670年頃、晋の献公が多くの公子を殺したため、その国内が乱れ始めたことを伝える。和田家文書は彼らがすべて献公に殺されたわけではなく、日本に亡命したと見なしたわけである）。

もう一つの勢力は、耶馬台国（邪馬台国）の王というアビヒコ（安日彦）ナガスネヒコ（長髄彦）兄弟と、彼らに従う耶馬台国の亡命者たちだ。アビヒコたちは三輪山（現・奈良県桜井市）で耶馬台国を治めていた。しかし、南方から九州経由でやってきた日向族との戦い（記紀でいうところの神武東征）に破れ、東北の地へと逃れてきたのである。

なお、日向族にはヒミコ（比味子）という巫女がいたという。いわゆる魏志倭人伝では、ヒミコ（卑弥呼）は邪馬台国（邪馬壹国）に都した倭国の女王とされている。だから、耶馬台国を近畿としながらヒミコを九州方面の女王とする和田家文書の記述は、魏志倭人伝と矛盾しているわけである。

また、和田家文書には、他にも、邪馬台国ならぬ邪馬壱国の卑弥呼が宇佐（現・大分県宇佐市）にいた、反乱伝承で有名な6世紀の筑紫国造・磐井は卑弥呼の子孫だった、などという記述もある。このように、その邪馬台国像には混乱が見受けられる。

1886年に青森県亀ヶ岡遺跡から出土した遮光器土偶

アビヒコ・ナガスネヒコ兄弟はそれぞれ晋の公女（王女）を娶り、アソベ族の生き残りとツボケ族を和解させて、ここに新しい民族が誕生した。それをアラハバキ（荒吐・荒覇吐）族という。

アラハバキとはもともと神名で、縄文時代の遺物として知られる、いわゆる遮光器土偶はこのアラハバキのご神体だという。

日向族が近畿を占拠した後、その子孫である大和朝廷はいくどとなく東北に進撃した（いわゆる蝦夷征伐）。アラハバキ族はそれを迎え撃つだけではなく、いくどか大和朝廷を制圧してアラハバキ系の天皇を立てたこともあるという（孝昭・孝元・開化・称徳など）。したがって万世一系というのは後世の朝廷が作ったフィクションにすぎないというのだ。

平安時代に東北地方を支配した安倍一族は、このアラハバキ王の子孫に他ならない。平安時代末には安倍一族の宗家となっていた安東氏（安藤氏）が、津軽十三湊（現・青森県五所川原市十三）を拠点に安東水軍を組織し、遠くインド、アラビアとも交易した（『東日流外三郡誌』以外の和田家文書には、源義経が安東水軍の船で大陸に渡り、ジンギスカンになったことを示す記述もある)。

だが、南朝年号の興国元年(1340、北朝年号では暦応3年)もしくは興国2年に起こった大津波(**「興国の大津波」**)で十三湊は崩壊、安東水軍も滅亡した。安倍氏の末裔は三春藩主・秋田氏となってその命脈を保ったが、アラハバキ王国や安東水軍の伝承は次第に失われていった。

秋田孝季と和田長三郎吉次は日本国内ばかりか、中国、シベリア、インドから遠くトルコ、ギリシア、エジプトにまで足を延ばしてその隠された歴史を掘り起こしたのだという。

『東日流外三郡誌』は世に出るとともにブームを引き起こした。NHKテレビは複数回、『東日流外三郡誌』をテーマに、和田喜八郎へのインタビューを含む番組を放送した。新聞や週刊誌、オカルト雑誌や旅行雑誌などもしばしば『東日流外三郡誌』を取り上げた。

しかし、1990年代半ばからの真偽論争で、和田家文書の実際の作者が和田喜八郎その人だったことが判明した(ただし喜八郎本人は最後までそれを認めることはなかった)。

秋田孝季は実在の三春領主・秋田孝季(1786~1845)の名前を借りた架空の人物で、和田長三郎吉次も、和田喜八郎の祖先として作られた人物だった(喜八郎の祖先が飯詰の庄屋だったという事実自体がなかった)。

ちなみに実在の藩主である秋田孝季の名は「のりすえ」、和田家文書の編著者とされる秋田孝季の名は「たかすえ」と訓読は異なっている。読み方は違っても、君臣の序列に厳しい江戸時代にあって、領主の親族が領主と紛らわしい名を使い続けることはまずありえない（原田実『幻想の荒覇吐秘史』１９９９年）。

和田家文書には「ムウ大陸」（１９３１年にチャーチワードがその存在を主張したムー大陸のこと。本書21頁参照）、「富士王朝」（加茂喜三による１９７０年代の造語。本書１４９頁参照）、「冥王星」（１９３０年に発見・命名された太陽系の準惑星）など、寛政年間成立・明治期書写という設定では出てくるはずもない用語が頻出していた。それだけでも怪しかったのだが、私が現代人の偽作と確信したのは、和田家文書の筆跡が和田喜八郎と同一と判明してからである。

詳しくは拙著『偽書が描いた日本の超古代史』（２０１８年）や、斉藤光政『戦後最大の偽書事件「東日流外三郡誌」』（２０１９年）などを参照されたい。

なお、ゲームやコミックには遮光器土偶の姿の魔神アラハバキがしばしば登場するが、それは和田家文書で遮光器土偶はアラハバキのご神体とされていたことに起因する。しかし、実際の縄文時代の遺物としての遮光器土偶の用途は不明で、神像かどうかはわからない。

「あらはばき」という神については柳田國男（１８７５～１９６２）の『石神問答』や、

中山太郎（1876〜1947）の『地主神考』など高名な民俗学者の著書にも見える。だが、柳田國男は正体不明とし、中山太郎は先住民の神かもしれないと示唆するのみで、明確な解明はできないままとなっている。もちろん柳田國男、中山太郎とも「あらはばき」の御神体が遮光器土偶だなどと述べてはいない。

また、「あらはばき」を祭る社や祠は全国各地にあるが、その分布がもっとも濃密な地域は東北地方ではなく関東地方である。アラハバキが東北の神だというのは、あくまで1970年代後半から1990年代初頭の『東日流外三郡誌』ブームによって作られたイメージなのである（斎藤隆一「荒覇吐神の幻想」『季刊邪馬台国』第54号・1994年8月）。

エーリッヒ・フォン・デニケン（2009年撮影）

『東日流外三郡誌』が世に出た70年代、スイス在住の作家エーリッヒ・フォン・デニケン氏の著書が日本でもベストセラーとなっていた（デニケン『未来の記憶』邦訳1969年、『星への帰還』邦訳1971年、他）。

デニケン氏の主張は、古代の地球に異星人が訪れて人類に文明をもたらしたというもので、その著書の中では日本の遮光器土偶は宇宙服を着た異星人の姿だなどと書かれていた。

そのため、オカルトファンの間で遮光器土偶への関心も高まっていた。

和田喜八郎は、その遮光器土偶の人気に便乗して、柳田國男や中山太郎も正体解明に匙を投げた謎の神「あらはばき」に結びつけたものだろう（原田実『トンデモ日本史の真相　史跡お宝編』２０１１年）。

「安東水軍が興国の大津波で壊滅」は根も葉もない作り話

『東日流外三郡誌』ブームの頃に広まり、遮光器土偶アラハバキ説とともに、今も根強く残る謬説（びゅうせつ）がある。それは中世、十三湊（現・五所川原市・十三湖（じゅうさんこ））の安東氏が自前の水軍を持っていたという、いわゆる「安東水軍」実在説である。

安東水軍は、十三湖周辺の自治体の町興し・村興しに持ち出され、今でも青森県各地のねぶた（七夕祭りで用いられる大型の山車（だし）燈篭）の題材や地酒の銘柄として、青森県内では広く親しまれている。

現・青森県五所川原市で十三湖の北に広がる平野部を見下ろす山間地に、山王坊（さんのうぼう）といわれる場所がある。そこにはかつて大きな寺院があったという伝説が残り、１９７０年代までには陶器や仏具の出土や礎石跡の存在などが確認されていた。

さらに、１９８２年から87年にかけて行われた山王坊遺跡発掘は、中世、現・日吉

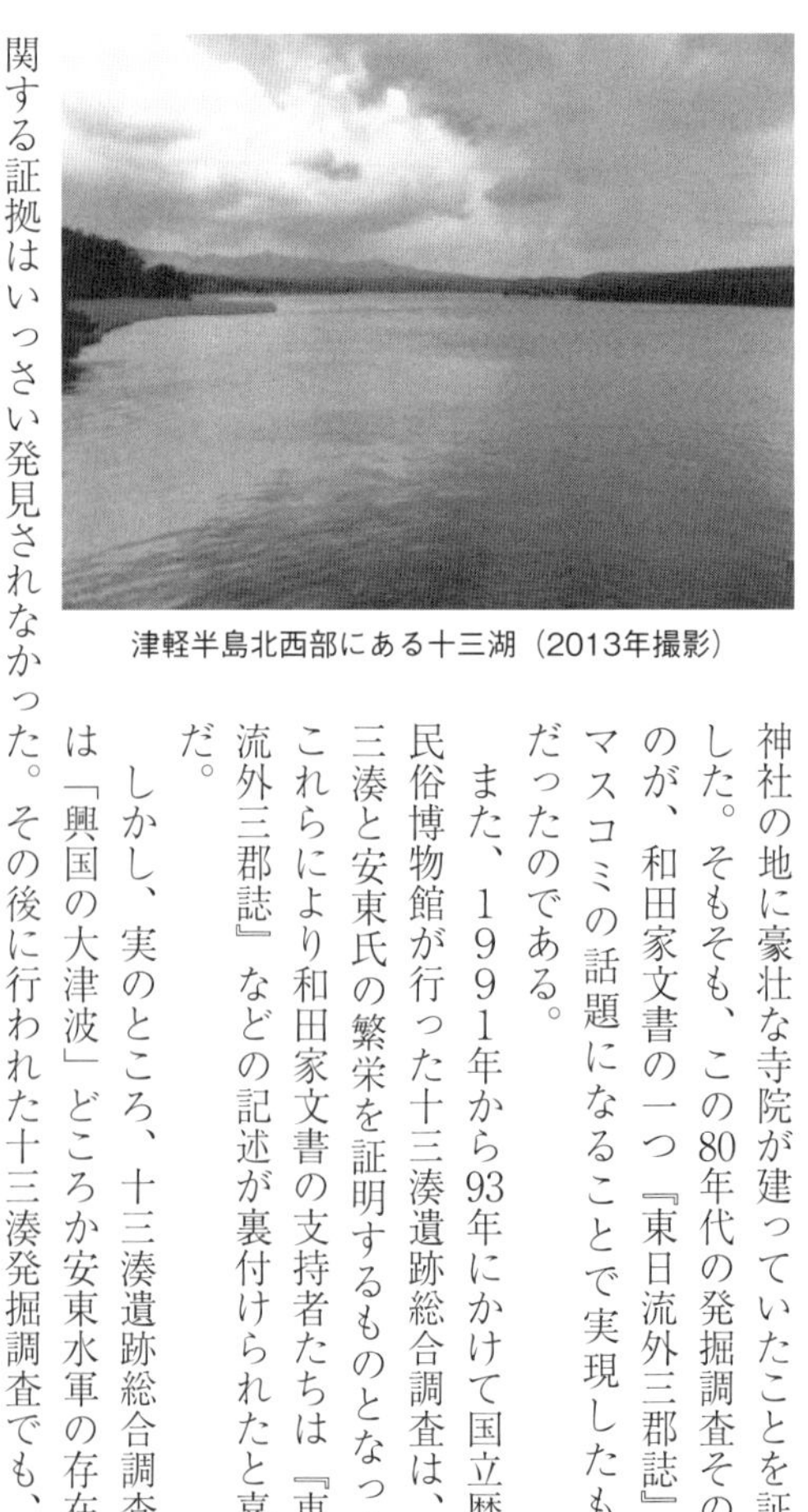

津軽半島北西部にある十三湖（2013年撮影）

神社の地に豪壮な寺院が建っていたことを証明した。そもそも、この80年代の発掘調査そのものが、和田家文書の一つ『東日流外三郡誌』がマスコミの話題になることで実現したものだったのである。

　また、1991年から93年にかけて国立歴史民俗博物館が行った十三湊遺跡総合調査は、十三湊と安東氏の繁栄を証明するものとなった。これらにより和田家文書の支持者たちは『東日流外三郡誌』などの記述が裏付けられたと喜んだ。

　しかし、実のところ、十三湊遺跡総合調査では「興国の大津波」どころか安東水軍の存在に関する証拠はいっさい発見されなかった。その後に行われた十三湊発掘調査でも、14世紀の大津波の痕跡などは発見されていない。

　それどころか、現在では十三湊は13世紀初めから15世紀半ばまで継続して港としての機能を果たしており、その繁栄のピークは14世紀半ばから15世紀初めであることが判明している。つまり、十三湊遺跡調査の実際の成果は、興国元年もしくは2年に大津波があったとする和田家文書の内容を裏付けるどころか、それを否定するものだったのである（国立歴史民俗博物館『中世都市十三湊と安藤氏』1994年、青森県市浦村編『中世十三湊の世界』2004年）。

山王坊遺跡について、実際に発掘調査報告を読むと、『東日流外三郡誌』の記述は実際の発掘結果と食い違っている、『東日流外三郡誌』の記述は実際にはありえない、という記述が随所に見られる。

そもそも『東日流外三郡誌』には、山王坊に他の宗派と並んで倶舎宗（くしゃしゅう）の寺院が建っていると記されている。だが、倶舎宗はあくまで仏教教学の一分野であって、独立した宗派としての寺院が建てられたことがないことは仏教史の常識だ（和田喜八郎はそれほど仏教教義には詳しくなかったようである）。

山王坊遺跡が大きな寺院の跡であることは、『東日流外三郡誌』が出現する以前からわかっていたことだ。たとえ、発掘調査のきっかけが『東日流外三郡誌』にあったにしても、その発掘で判明した事実がその記述と異なっている以上、それは和田家文書擁護の傍証には使えない（山王坊跡調査団編『山王坊跡』1987年）。

現・弘前大学名誉教授・長谷川成一氏の考証によると、興国元年に十三湊が大きな水害に遭ったという話は、19世紀の文献に初めて現れてくるものである。古い伝承ではないし、ましてや史実とは考えにくい。しかも、当初は津波ではなく台風による高波の被害の話だった（長谷川成一「津軽十三津波伝承の成立とその性格」『季刊邪馬台国』第53号・1994年3月）。

和田家文書では「興国の大津波」について、地震による津波であったとする記述がしばしば見られる。だが、それはもともと1952年と1968年に東北・北海道でそれぞれ大きな被害を出した十勝沖地震にヒントを得て和田喜八郎が書いたものと思われる（1952年には死者・行方不明者33名、1968には死者55名）。

1983年5月26日に日本海中部地震による津波（死者104名）が東北地方を襲ってからは、マスコミが和田家文書の興国の大津波記事を、東北日本海岸での大津波の前例として取り上げるようになった。それにより、『東日流外三郡誌』の名は歴史ファンの間でいっそう浸透することになる。

さて、「安東水軍」なる言葉は『東日流外三郡誌』に先行して元・弘前大学教授の宮崎道生（みちお）（1917～2005）の『青森県の歴史』（1970年）に出てくる。宮崎は『大乗院文書』という古文書に出てくる「関東御免津軽船（かんとうごめんつがるせん）」を安東氏の船と考え、安東氏は独自の水軍を持っていたと見なした。

しかし、「津軽船」は単に津軽を航行する船の意味であり、津軽船籍の船を意味するものではない。『大乗院文書』では、越中の商人が、嘉元4年（1306）に三国港

（現・福井県三国町）に入った関東御免津軽船の積荷が地元住人に不当に没収された、と幕府に訴えている。そこからも、津軽船の持ち主は津軽の安東氏ではなく、越中の商人と見なすのが妥当だろう。

　第一、入港先の住人に積荷を略奪される「水軍」というのも情けない話だ。つまり、宮崎道生の依拠した史料は、安東水軍の実在を証明するどころか、その存在を怪しくさせるものである。

　ちなみに宮崎道生の著書では、「興国の大津波」も史実として扱われ、安東氏に打撃を与えたとされている。この本は『東日流外三郡誌』のタネ本の一つになったと思われる（三上強二監修・原田実編『津軽発「東日流外三郡誌」騒動』２０００年）。

　さらに最近では、藤原明氏が、「安東水軍」の初出が青森県在住の作家・庄司力蔵氏の小説『安東船』（『東奥日報』連載小説として１９６７〜１９６８年初出、単行本上下２巻１９７４年）であり、さらにこの小説が『東日流外三郡誌』における船の描写などに影響を与えたことを指摘している（藤原明『偽書「東日流外三郡誌」の亡霊』２０１９年）。

　和田家文書の偽作が明らかになり、そのタネ本も、考証が破綻していたり、単なる小説であったことが判明した。安東水軍の実在もまた否定されるべきだろう。

　つまり、「安東水軍が興国の大津波で壊滅した」というのは、最初からありもしないものが起こりもしなかった事件のために消え失せた、という文字通り根も葉もない話である。

では、その根も葉もない話が、どうして信じられてきたのか。それは事実でなくとも歴史にロマンがあればいいという地元の期待と、それにおもねる中央のマスコミとの共振によるものなのである（原田実『トンデモ日本史の真相　人物伝承編』２０１１年）。

真偽論争の最盛期である１９９０年代前半から、すでに30年近い歳月が流れようとしている。最近では、その当時のいきさつを詳しくは知らない（もしくは忘れ去った）郷土史家やオカルトライターによって、和田家文書の来歴に疑問があっても、内容は真実かもしれないという擁護論が出されるようになってきた（たとえば三上靖介『「日本・津軽・岩木」の地名散策』２０１５年、古銀剛「『東日流外三郡誌』の謎と超古代アラハバキ王国」『ムー』２０１９年10月号、など）。

だが、それらの擁護論者が「和田家文書」に信憑性を覚えるのは、つまるところその内容が彼らの先入観に合致しているからである。実際の古典や史料は現代人の感覚では理解しがたいところがあるものだが、20世紀後半の人である和田喜八郎によって書かれた「和田家文書」は現代人の読者にはかえって受け入れやすい内容なのである（特にその人物の先入観が『東日流外三郡誌』ブームの頃に形成されていたなら、なおさらだろう）。

「安東水軍」は時代小説のフィクションから生まれ、宮崎道生のような歴史学者にまでインスパイアをもたらしながら、偽書に取り入れられた。さらに青森県内自治体の町興し・村興しに使われることで定着した。

今後はこの「安東水軍」の事例を反面教師として、町興し・村興しといえども、和田家文書のような偽書に依存しないよう気をつけることが望ましい。

ノストラダムスと予言獣――あとがきに代えて

2020年の出版界では、前年の『東日流外三郡誌』批判本ヒット（斉藤光政『戦後最大の偽書事件「東日流外三郡誌」』、藤原明『日本の偽書』『偽書「東日流外三郡誌」の亡霊』）を受ける形で、馬部隆弘『椿井文書』、藤原明『幻影の偽書「竹内文献」と竹内巨麿』など、日本史における偽書・偽史を扱った書籍が次々と話題になった。拙著『天皇即位と超古代史』（2019年）、『捏造の日本史』『偽書が揺るがせた日本史』（2020年）もその驥尾に付すものである。

その背景には、約8年も続いた長期政権で、なおかつ「江戸しぐさ」の教育現場採用推進や不二阿祖山太神宮（152頁参照）など偽史との親和性が高かった第2次～第4次安倍内閣（2012年12月～2020年9月）への反発もあったと思われる（「江戸しぐさ」と政権との関わりについては、拙著『江戸しぐさの正体』2014年、『江戸しぐさの終焉』2016年、『オカルト化する日本の教育』2018年、参照）。

ところで、偽史との関連で注目すべきテーマの一つに予言がある。新型コロナウイルスによる肺炎（COVID-19）の世界的流行で世相が騒然としていた令和2年6月16日、作家・五島勉（1929～2020）がこの世を去った。

五島勉が1973年に著した『ノストラダムスの大予言』は、「迫りくる1999年7の月、人類滅亡の日」という副題のインパクトもあって、250万部を超えるベストセラーとなった。さらに『ノストラダムスの大予言』はシリーズ化され、1998年の『ノストラダムスの大予言　最終解決編』まで10冊にも及んでいる。

また、五島勉は次の予言詩の「太陽」を「日の国」、すなわち日本と解釈することで、ノストラダムスは日本に深い関心を持っていたと主張した。

〈ウェヌスが太陽に覆われんとき、
光輝の下に秘めた形態あらん。
メルクリウスはそれらを火に曝さん。
戦闘の騒音による攻撃に曝されん。〉（P・ブランダムール校訂、高田勇・伊藤進編訳『ノストラダムス予言集』1999年）

ただし、予言詩の解釈について五島勉は、『ノストラダムスの大予言Ⅱ』（1979年）では日本の滅亡を予言したものとし、『ノストラダムスの大予言Ⅲ』（1981年）では、人類を滅亡から救う者は日本から出現するという予言だと説いた。

「ウェヌス」はローマ神話の美の女神で天体としては金星、「メルクリウス」はローマ神話における商人の守護神で天体としては水星に当たる。実は、錬金術の象徴ではウェヌスは銅、太陽は金、メルクリウスは水銀に当たっており、この詩は「銅を水銀で精錬して隠されていた金を得る」という錬金術の技法の説明だと思われる。少なくとも**日本と関係がないことは間違いない**。

『ノストラダムスの大予言』シリーズにおけるノストラダムスの詩の解釈やその背景となった歴史的事実の説明は、こじつけと捏造に満ちたものだった（山本弘『トンデモノストラダムス本の世界』１９９８年、文庫版１９９９年、『トンデモ大予言の後始末』２０００年）。

五島勉の『ノストラダムスの大予言』が後世に残した影響として、日本人の意識に終末論を植え付けたことと、ノストラダムスことミシェル・ド・ノートルダム（１５０３〜１５６６）という人物の名を日本で広めたという二つの点は特筆されるべきだろう。

また、先述の予言詩に関する五島勉の解釈（救世主出現予言）を真に受けた人が多かったことから、１９９９年までの日本ではオウム真理教教祖・麻原彰晃をはじめとして多くの自称・救世主が林立することになった。

なお、余談だが、２０１９年に、平成最後の日である4月30日もしくは令和最初の日である5月1日に首都圏を大地震が襲うという噂がSNSで流れたことがある。その根拠として持ち出されたのが「聖徳太子の予言」である（「『4月30日に地震が…』ネットで出回る怪情報　根拠は『聖徳太子の予言』、その正体は?」J-CASTニュース・2020年4月28日）。

その「聖徳太子の予言」なるものは具体的には、五島勉の著書『聖徳太子「未来記」の秘予言』（1991年）に出てくるもので、20世紀後半から21世紀初頭に日本が災厄に見舞われるという内容だった。だが、五島はその災厄が起きるタイムリミットを2017年に設定していたので、2020年にはすでに消費期限切れとなっていた。

さらに災厄を告げる「聖徳太子の予言」なるもの自体が五島勉の捏造の疑いが濃いものである（HP『超常現象の謎解き』本城達也「古代日本最高の知性が見通す未来『聖徳太子の予言』」）

五島勉が撒いたお騒がせの種は、その逝去の直前まで芽吹き続けたようである（そしておそらくはこれから芽吹いていくだろう）。

江戸時代の日本では聖徳太子が残した予言書という触れ込みの偽書がパロディも含め、いくつも世に出たことがある（原田実『トンデモ日本史の真相　人物伝承編』2011年）。もちろん、実際には当時の人にとって過去の出来事を聖徳太子に仮託し、予言が当たったという体裁にしたものにすぎない。つまり、**五島勉はノストラダムスだけでなく、聖徳太子の予言という伝説も利用した**わけである。

現在というものは、すでに確定した過去と、無限の可能性を秘めた未来への分岐点である。そして、歴史において記録や考察の対象とされるのは、すでに確定した過去である。

予言とは、未来をすでに確定したものとして語る行為であり、つまりは、予言の対象とした未来の事柄を、予言された時点という過去に繰り込む行為である。

しかし、未来が無限の可能性を秘めた不確定なものである以上、過去における予言が現実の未来と一致することはまずありえない。つまり、予言書の内容はその対象となった時代の現実の歴史とは乖離せざるを得ないのである。

実際、１９８０年代には、ノストラダムスや、エドガー・ケイシー（本書20頁）などの予言に基づくと称して、20世紀末から21世紀初頭までの未来の出来事を年表としてまとめた本もいくつか出されていた（広瀬謙次郎『宇宙大予言』１９８３年、高橋良典『諸世紀の秘密　世界大予言年表』１９８６年、など）。そして、今では、それらの内容が現実の20世紀末～21世紀初頭の歴史とは似ても似つかぬものであったことも明らかである。

当たった予言と言われるものは、たいてい後世の解釈者による牽強付会（けんきょうふかい）であり、その解釈が行われた時点で「予言が当たった」という偽史が構成されることになる。

もしくは、聖徳太子の予言のように、その本が書かれた時点では、すでに起きてしまったことを、まだ起きる前に書いたという体裁にするしかない。だが、その行為は、実際に書かれた時期（および著者）を偽ることで、結局は偽書を作成することになる。

予言書の作成とは、結局、書かれた時点もしくは書かれたとされる時点から見た未来に関する偽史を構成することに他ならない。

立教大学名誉教授の小峯（こみね）和明氏は、聖徳太子の予言など中世日本における予言書〈未来記〉の形成と、近世から現代におけるそれらへの解釈について論じる中で、次のように述べている。


〈予言はその対象となる事件や出来事が実際に起きてから意味をもつ。むしろ予言は事後になされ、事後にこそ意義をおびる言説であるから、すでに起きた事象の意味づけを試み、規定する作業であった。（中略）したがって、予言書は必然的に歴史叙述となる。言いかえれば、過去の予言である〉（小峯和明『予言文学の語る中世』２０１９年）

〈未来の予言などもともと〈偽〉以外の何ものでもない。予言は常に事前ではなく、事後になされるものだ。現実の事件や出来事を、時間を逆手にとることで、過去からの予言としてずらし、解釈しなおす。それが未来記言説の基本の構図である。〈偽〉や〈虚〉を近代の固定的な〈個〉の論理の呪縛から解き放ち、あらたな座標軸からとらえなおすことがもとめられている。偽書はまさしくその問題群の先端的な事例であり、「御記文」に代表される未来記は偽書の問題の根源にまつわる典型をなしている〉（同前）

ここでいう「御記文（ごきぶん）」とは古人が後世の人（特に子孫）への訓戒などとして遺した文書のことである。小峯和明氏は中世日本における偽書は、作者が近代的な個人の観念にとらわれることなく、自分の営為を古人に仮託した結果として生じたもので、その典型として予言書（未来記）もあった、ととらえている。

ここで小峯氏が言うところの、「現実の事件や出来事を、時間を逆手にとることで、過去からの予言としてずらし、解釈しなおす」行為を、ノストラダムスに対して、現代日本で行ったのが五島勉だったというわけである。実際には、後述のように五島に先行するノストラダムス紹介者もいたが、社会的な影響力では五島の比ではなかった。

さて、ノストラダムスは南仏プロヴァンス地方のサン・レミという町で商家の長男として生まれた。アヴィニオン大学で学んだ後にモンペリエ大学で医学を修め、さらに南仏各地で開業医として活躍した。

1544年、南仏でペストが流行するや、ノストラダムスはマルセイユ市に招聘され、そこでペスト対策に当たった。その地で成功を収めたノストラダムスは1546年にエクス＝アン＝プロヴァンス市に招かれ、ついでサロン＝ド＝プロヴァンス市、リヨン市に赴いて、そのいずれでもペストの蔓延を食い止めた。

それにより名声を得たノストラダムスは、1547年にサロン＝ド＝プロヴァンス市の裕福な未亡人と結婚し、カレンダー業者として新たな人生を歩み出した。

彼が作成したカレンダーには薬や香料、料理などのレシピや、占星術などの占いに関する知識がちりばめられている。それらは『化粧品とジャム論』（邦訳『ノストラダムスの万能薬』1999年、ドイツ語テキストからの重訳）と『予言書（百詩集）』（日本での通称『諸世紀』は表題の誤訳）という二つの著書として結実した。

ちなみにノストラダムスに名声をもたらしたペスト蔓延阻止の功績について、彼がアルコール消毒や熱湯消毒を行った、あるいは遺体の火葬を勧めたなどの話があるが、それらは実は五島勉の著書での創作である。

ノストラダムスの医術については、当時の医学界でさかんに行われていた瀉血（しゃけつ）（患者の体から毒を抜くという名目での出血）の有効性を否定するなど斬新な面もあった。だが、実際には当時の医学の限界を超えるものではなかった（西洋医学で殺菌・消毒の概念が生まれるのは19世紀）。

『化粧品とジャム論』には、ノストラダムスが実際にペスト予防・治療に用いて有効だったと称する薬のレシピも書かれている。だが、それは糸杉の木を細かく削ったものに複数の香料を混ぜただけのもので、実際には感染症治癒の効能はない（前掲『ノストラダムスの万能薬』、ピーター・ラメジャラー『ノストラダムス百科全書』邦訳1998年、樺山紘一・高田勇・村上陽一郎編『ノストラダムスとルネサンス』2000年）。

南仏各地の都市で、ノストラダムスの到着からほどなくしてペストの流行が治まったのは事実だろう。だが、それは感染が広まることで、生き残った住民たちが免疫を獲得して発病しなくなった結果と思われる。

ところで、五島勉の1999年人類滅亡予言説の根拠となったのは次の詩である。

〈一九九九年七つの月、
恐怖の大王が空より来らん。
アンゴルモワの大王を蘇らせん、
マルスの前後に幸運で統べんため。〉（前掲『ノストラダムス予言集』）

この「恐怖の大王」について、『ノストラダムス予言集』編訳者の高田勇・伊藤進両氏は、1999年8月11日（紀元前45年から1582年まで採用されていたユリウス暦では7月9日）に起きる皆既日食を意味するものではないかと示唆した。私はかつてオカルト研究家の志水一夫（1954～2009）が説いた、イエス・キリストを意味する称号という説を採用した（原田実『オカルト「超」入門』2012年）。

「マルス」はローマ神話の軍神で、火星をも意味する語である。ノストラダムスがこの語を用いるに当たって占星術的象徴としての火星という意味を与えたとも考えられる。だが、ここは単純に軍事力という意味にとっておこう。

アンゴルモワの大王について、日本では五島勉『ノストラダムス大予言Ⅱ』（1979年）で「モンゴル」のアナグラムという説が紹介されて以来、長らくその解釈が主流となっていた。しかし、フランス人が「アンゴルモワ」という文字列を原語で見れば、まず思いつくのはフランスの地名アングレームであろう。

ノストラダムスの同時代人には、アングレーム伯からフランス国王に即位したフランソワ1世（在位1515～1547）がいた。彼は神聖ローマ帝国皇帝にしてスペイン国王のカール5世（ローマ皇帝としての在位1519～1556）とイタリアをめぐって戦争を続けたが、その一方で、アメリカ大陸での探検や植民を後援して新大陸でのフランスの利権確保をも目論んだという精力的な王だった。

つまり、この詩は、フランソワ1世の再来のような王（アンゴルモワの大王）が、1

999年の皆既日食の時期の前後に（もしくはキリストの加護を受けつつ）現れて、その軍事力で安定した統治を行う、という内容だということになる。

余談だが「恐怖の大王」を皆既日食とする説をとるなら、ノストラダムスはユリウス暦が1999年には用いられていないことを予知できなかったということになるわけだ（それを予知していたなら、1999年皆既日食の時期についてユリウス暦に基づいて算出した7月、すなわち「七つの月」ではなく、1999年に行われているグレゴリオ暦によって算出される8月、すなわち「八つの月」と書いただろう）。

1999年時点でのフランス大統領といえばジャック・シラク（1932〜2019）である。彼が「アンゴルモワの大王」として幸運な統治を行ったといえるかどうかはそれこそ解釈の問題だろう（私はそうした解釈自体、あまり意味はないと思う）。

さらにいえば、この詩自体、『百詩集』の初版（1555年）にはなく、ノストラダムス没後の1568年に出た増補版が初出ということで、ノストラダムス自身の作ではない可能性さえある。今はただ、五島勉の1999年人類滅亡予言説が誤読に基づいていたことを確認するにとどめたい。

実際には、1999年7月には人類の命運に関わるような事件は特に起こらず、五島勉の解釈は、予言が偽史を構成する実例を増やすだけの結果に終わった。

ちなみに、ノストラダムスが1999年7の月の災厄を予言したという話は五島勉に先行して、作家・黒沼健（けん）（１９０２〜１９８５）の『謎と怪奇物語』（１９５７年）や、『少年マガジン』１９６９年1月1日号特集「大予言」（企画構成・大伴昌司、資料・南山宏）などに見ることができる。それらでは「恐怖の大王」の正体は空飛ぶ円盤に乗った宇宙人の侵略と解されていたが、それもまた実現されなかったことは周知の通りである。

さて、ノストラダムスの予言詩には「怪物が生まれる」「なかば人間の豚が見える」「人間の顔と水棲動物の尾を持つおぞましい魚が釣りあげられる」「サチェロス（森の神ともいわれる半人半獣の異形）が港に上陸する」などさまざまな怪物の出現を記したものがある。

現代の解読者は、これらを人物や国家などの比喩として解釈しがちだが、実際には、ノストラダムスが文字通り怪物の出現を予言したと考える方が妥当である。なぜなら、中世（5〜15世紀）、近世前期（16〜17世紀）、ヨーロッパではそれらの怪物の実在が信じられていただけでなく、その出現は神が人間に与える警告として年代記に記されるべき事件とされていたからである。

ノストラダムスは予言詩の中で、怪物の出現を語ることで、それが予兆となる、さらなる災厄をも暗示したわけである。

怪物の出現が災厄の予兆となるという発想は、ヨーロッパだけではなくさまざまな文明に見られる。

アステカ王国（15世紀から1521年まで現メキシコ合衆国で栄えた国家。エルナン・コルテス率いるスペイン軍に滅ぼされた）の歴史を綴ったインディオの年代記によると、アステカの王・モクテスマ2世（在位1502〜1520）の治世に、猟師が額に鏡のついた大きな鳥を捕らえて王に献上したことがあった。モクテスマ王はその鏡の中に、鹿に似た動物に乗って押し寄せる軍勢（馬に乗ったスペイン軍？）を見た。

その後、首都テノチティトラン（現メキシコシティ）の大路に頭が二つある怪物が現れた。怪物は人々に捕らえられ王宮に連れていかれたが、消え失せてしまった。スペイン人がアステカの海岸に上陸したのはその直後だったという。つまり、奇妙な鳥や怪物はスペイン軍によるアステカ滅亡の予兆だったというわけである（増田義郎『古代アステカ王国』1963年）。

日本においても、怪物が現れたという記事が災厄の予兆だったという解釈ができる形で記録された例は、『日本書紀』以来、数多くあるが、特筆すべきは、その怪物が19世紀に入る頃から特異な進化（？）を遂げることである。

文政年間（1818〜1830）の頃、読売（よみうり）（いわゆる瓦版）や刷物（すりもの）（版画）として流行した話題に「姫魚（ひめうお）」なるものがある。頭は長く豊かな髪に角を生やした人間の女で、胴体は魚、肥前（現・佐賀県および現・長崎県の一部）の海に現れ、七年間の豊作と疫病の流行を人語で告げた上、自分の姿を描いた絵を見れば、その病の災いを避けることができると言って海中に去っていったという。

この姫魚とそっくりな姿の「悪魚」「人魚」なるものが越中国放生津（現・富山県射水市）の海に現れたが、領主が鉄砲隊を出して討ち取ったという噂を描いた刷物が、文政年間に先立つ文化２年（１８０５）に流行したことがあるが、当時の記事にはまだ予言という要素は見当たらない。

姫魚像（『以文会随筆』文政６年・水野皓山編に収載、西尾市岩瀬文庫蔵）

ただし妖怪研究家・コレクターとして知られる湯本豪一氏は文化２年の「人魚図」の刷物に、この絵を見た者は悪事災難を逃れ長寿と幸福を得るという文があることから、災厄の主を描いた絵が吉祥をもたらす絵に転化する契機があったと認めている（湯本豪一『日本幻獣図説』２００５年）。

文政２年には「姫魚」の他にも「神社姫」の絵も流行している。こちらも頭は長く豊かな髪に角を生やした人間の女だが、胴体は魚ではなく蛇体で尻尾の先が三つ又の剣になっているのが特徴である。

「神社姫」も、肥前の海に現れて7年間の豊作と疫病の流行を予言し、人々に自分の絵姿を見るよう勧めたということである。あるいは「姫魚」と「神社姫」は同じ原型（湯本豪一氏の言う「人魚図」など）から派生したものかもしれない。

本書82頁で言及した「アマビエ」やその原型と思われる「アマビコ」も、海から現れて豊作と疫病を予言し、自分の絵姿を広めるよう告げたということで、「姫魚」「神社姫」と共通性がある。「アマビコ」についていえば、明治時代になっても錦絵や新聞記事に登場し続けたという（湯本豪一『明治妖怪新聞』１９９９年、常光徹『予言する妖怪』２０１６年）。

２０２０年には「アマビエ」ブームを皮切りに「アマビコ」「神社姫」など他の予言獣も新聞やWebニュースなどでしばしば取り上げられた。興味深いのは、それらの予言獣が取り上げられる際、本来の役割であった予言の要素が忘れられ、その絵姿が疫病除けのお守りになるという面ばかりが強調されたことである。

たとえば厚生労働省ＨＰにある「ＳＴＯＰ！　感染拡大―ＣＯＶＩＤ‐19―」キャンペーンロゴの解説には「疫病から人々を守るとされる妖怪〝アマビエ〟をモチーフに、若い方を対象とした啓発アイコンを作成しました」とあって、予言という要素は消されてしまっている。

妖怪博物館（広島県三次市）学芸員・吉川奈緒子氏は、江戸時代と２０２０年の予言獣ブームについて次のように総括した。

〈江戸時代にはさまざまな予言獣が登場した。予言獣は捕獲することができないものであるがゆえに、誰も独占できないし、シンボリックな外見によって容易に共有ができる。

御利益を得るための条件も、とても簡単だ。〝絵姿を拝むこと〟。ただ、それだけである。実は予言獣とは、江戸時代にも、現代にもマッチした、まことによくできた精神の救済システムなのである〉（「妖怪今も昔も③神社姫」『中国新聞』２０２０年８月22日付）

ノストラダムスや聖徳太子の名を借り、予言をもてあそんで世の危機感を煽り続けた人物が逝去したのと同じ年、現実の危機に見舞われた世界を背景に、**予言獣が、予言という要素を離れ不安にさいなまれる人々へと癒しをもたらすお守りに変じた……**

２０２０年の日本オカルト界を概観すればこの一言になるだろう。

「アマビエ」の変容は、「アマビエ」が背負ってきた予言獣としての過去（歴史）が捨象（しゃしょう）され、書き換えられたということでもある。その過程を目の当たりにすることにより、私はまた一つ、新たな偽史が作られる現場に立ち会ったともいえよう。

文芸社文庫

疫病・災害と超古代史
神話や古史古伝における災禍との闘いから学ぶ

二〇二〇年十二月十五日　初版第一刷発行

著　者　原田実
発行者　瓜谷綱延
発行所　株式会社　文芸社
〒一六〇－〇〇二二
東京都新宿区新宿一－一〇－一
電話　〇三－五三六九－三〇六〇（代表）
〇三－五三六九－二二九九（販売）
印刷所　図書印刷株式会社
装幀者　三村淳

ISBN978-4-286-22179-3

［文芸社文庫　既刊本］

原田実

天皇即位と超古代史

「古史古伝」で読み解く王権論

『竹内文書』『九鬼文書』『物部文書』等では古代天皇や即位儀礼をどう描いているか。神代文字は時間を操作する。秘儀・即位灌頂はなぜ近代化で失われたのか。超古代文献から三種の神器の謎に迫る。

片桐三郎

入門フリーメイスン全史　偏見と真実

フリーメイスンの元グランドマスターが自ら調査し、執筆した正統な研究書。日本人の入会を認めず、日本社会への接触や宣伝などを禁止した紳士協定の存在についても明かす。解説／橋爪大三郎

阿岐有任

籬（まがき）の菊

中納言の君から妊娠したとの手紙が東宮に届く。世は乱れ、東宮御所には怪物・鵺が現れ、「穢れ」が入り込む。錯綜する事態の中、平安貴族たちの葛藤と愛を描いた第1回歴史文芸賞最優秀賞受賞作。

小島英俊

昭和の漱石先生

実は漱石は終戦の日まで生きていた⁉　敗戦へと向かう日本の流れを止めようと、漱石はどんな手を打ったのか。昭和史の裏で暗躍する姿を描く歴史改編小説。第2回歴史文芸賞最優秀賞受賞作。